Jacques Cartier

Emile Chevalier

Édition : BoD – Books on Demand, 12/14 rond-point des Champs-Élysées, 75008 Paris.

Impression : BoD - Books on Demand, Norderstedt, Allemagne.

ISBN : 9782322255832

Dépôt légal : octobre 2020

Jacques Cartier

CHAPITRE PREMIER

SAINT-MALO, PATRIE DE JACQUES CARTIER

Existe-t-il en France, ou même dans le monde entier, une ville qui, relativement à sa population, puisse s'enorgueillir d'avoir enfanté autant de célébrités que Saint-Malo? Quelle pépinière, quelle pléiade d'illustrations dans tous les genres! Ses seuls marins fameux, on en pourrait compter cent, non compris les Jacques Cartier, les Porée, les Duguay-Trouin, Mahé de la Bourdonnais, les Surcouf, les de Coisy, et, comme dit leur excellent biographe, M. Ch. Cunat: «Tous donnèrent plus d'une fois sujet aux ennemis de la France de leur appliquer ce mot de Philippe, roi d'Espagne, en parlant de Turenne: Voilà un homme qui m'a fait passer de bien mauvaises nuits.»

Mais à ces beaux noms, consignés au premier rang dans les fastes de notre histoire nationale, ne se borne pas la liste des grands hommes qui ont honoré Saint-Malo par leur bravoure à toute épreuve ou leurs vastes talents. Des philanthropes, comme Jacques Vincent, seigneur de Gournay, Alain Magon de la Gervesais, Pierre de la Haye; des savants, comme Nicolas Trublet, le P. Alain de Large, le physicien Maupertuis, l'érudit Joachim Porée, l'historien Nicolas Frottet, le médecin Broussais; des administrateurs comme Pierre-Louis Boursaint, Féron de la Féronnays; des poètes comme François-Marie Lescaut, Marie-Jeanne Bougourd (l'auteur de la Jeune Mère), Michel de la Morvonnais et l'immortel Chateaubriand; des philosophes comme Offroy de Lamettrie ut Robert de Lamennais, vingt autres enfin, renommés dans les sciences, les arts et les lettres, viennent encore enrichir le catalogue des glorieuses, personnalités auxquelles la cité malouine servit de berceau.

Que rapporter des actions d'éclat dont elle fut le théâtre? qui les pourrait citer toutes? «Cet îlot de Saint-Malo, dit en son noble langage Jules Janin, cet îlot de Saint-Malo, fils de l'Océan, est un véritable navire à l'ancre, bercé par les tempêtes; les arbres ressemblent à des mâts qui attendent la vague lointaine. L'air, le ciel, le nuage, le bruit, la nuit, le jour, tout rappelle, à Saint-Malo, la vue du matelot des lointains rivages.

«Vie de matelot, passion de la mer, amour de l'orage, orgueil de l'écume salée, pêche et bataille, amour, abordage! Honneur à Saint-Malo! Ce vaisseau est assuré par une ancre éternelle qui touche au fond de la mer.»

Comparaison d'aussi haut style que de haute justesse surtout si l'on examine les anciennes Vues de Saint-Malo: le rocher sur lequel s'élève la ville a la forme d'un navire, qu'une chaîne énorme,—le Sillon,—retiendrait à la terre ferme.

Cette ville, si légitimement réputée, et dont tout coeur français a droit d'être fier, ne date guère que du huitième siècle. Fondée par les évêques d'Aleth, avec les décombres mêmes de la cité de ce nom, voisine alors aujourd'hui disparue, elle se composa d'abord d'un monastère, placé à la crête du rocher Saint-Aaron, et protégé par une forte muraille, dans l'enceinte et autour de laquelle s'élevèrent peu à peu des cabanes de pêcheurs. Maintenant encore il est, je crois, facile de reconstruire par la pensée cette enceinte primitive, qui devait être circonscrite par les rues actuelles du Boyer, Sainte-Anne, Saint-Benoît, Danican et une partie de la rue consacrée à la mémoire de ce Porcon de la Babinais, que M. Cunat qualifie si proprement de Regulus malouin.

Quoi qu'il en soit, favorisé par la bonté de son port et son heureuse situation à l'embouchure de la Rance, Saint-Malo, qui avait été baptisé du nom de son premier évêque, crût rapidement en grandeur, en prospérité sous la domination et la juridiction cléricales.

«Grâce, dit son historien, à la modicité du prix exigé par les seigneurs ecclésiastiques pour accorder ce que l'on a appelé depuis congé d'amiral, le commerce maritime prit bientôt de l'extension.» Dès le milieu du treizième siècle, les Malouins allaient en course et méritaient le titre de troupes légères de la mer; en , ils s'associaient à la Ligue anséatique; sous saint Louis, ils prenaient une part active aux Croisades; puis ils se lançaient vaillamment, opiniâtrement dans cette lutte sanglante qui, pendant près de deux cents ans, désola la France et l'Angleterre.

Plusieurs fois assiégée, prise et saccagée durant ces guerres formidables, la ville de Saint-Malo ne développa pas moins sa population, sa richesse, sa puissance. Tandis que le pavillon britannique flottait sur Paris et sur toutes les forteresses normandes, le cardinal-évêque Guillaume de Montfort arma quelques nefs à Saint-Malo, battit et dispersa la flotte anglaise qui bloquait le Mont-Saint-Michel. En récompense de cette victoire, Charles VII rendit, le août , un décret par lequel les vaisseaux malouins seraient exempts pendant trois années de toute imposition dans les ports soumis à la couronne.

Cet édit et les lettres de franchise accordées par le duc François Ier de Bretagne, en et , aux habitants de Saint-Malo furent très-avantageux au commerce. Aussi l'agrandissement de la ville nécessita-t-il bientôt des fortifications nouvelles.

Suivant une tradition, dont l'autorité me paraît suspecte, les Malouins étendaient déjà si loin leurs excursions maritimes que, dès , l'année même de l'arrivée de Colomb dans la mer des Antilles, ils auraient, «de concert avec les Dieppois et les Biscayens,» découvert l'île de Terreneuve et quelques côtes du bas-Canada. A cette époque, cependant, les navigateurs de Saint-Malo s'étaient acquis une notoriété rare, et leur havre passait pour l'un des plus considérables du continent.

Deux ans plus tard, le décembre , naissait

Jacques Cartier, le futur explorateur du Saint-Laurent—le héros de ce récit.

Saint-Malo, dont la population monta (en) jusqu'à près de , âmes, intra muros, et dont les relations se prolongeaient dans toutes les mers connues; Saint-Malo qui, avant la paix honteuse de , avait, en quatre années, armé navires pour les Antilles, pour la côte de Guinée, pour Terreneuve et le Canada, non compris de nombreuses expéditions pour les Grandes-Indes et la Chine; Saint-Malo, à présent déchu de sa splendeur, et dont, le vaste port, à demi désert, les somptueux bâtiments abandonnés et noircis par le temps, semblent en deuil de la vie absente, de leurs hôtes disparus; Saint-Malo, dont le recensement donne à peine aujourd'hui , habitants, était tout aussi peuplé, mais bien autrement animé, bien autrement affairé au milieu du seizième siècle.

Que, sous le rapport du pittoresque, du l'élégance, la ville de la Renaissance ou du moyen âge eût paru a un poète, supérieure à la ville moderne! Malgré ses quais magnifiques, ses superbes remparts, sa Bourse, son Intendance, ses monumentales constructions rectilignes, de la défunte Compagnie des Indes, sur les rues de Chartres et d'Orléans, ses hautes maisons du temps de Louis XV, son beau chantier de marine, son môle des Noirs, les bassins grandioses qu'on a substitués à son havre de marée, malgré son Casino, ses bains de mer, malgré même son railroad,—celle-ci peut faire regretter celle-là, avec ses grèves abruptes, ses ruelles escarpées, hérissées ça et là d'escaliers branlants; ses places étroites, mais bigarrées de gens de toutes les nations, ses bâtisses multiformes, aux étages surplombant, aux pignons aigus, ornementés, aux vitraux de couleur; et ses nombreuses tours, et ses dômes, et ses clochers, et ses campanilles, et ses pyramides égarées dans les nues, et, en un mot, le mouvement qui, du matin au soir, régnait à l'intérieur comme au dehors des murs.

Qu'est-elle devenue, cette noble cathédrale, commencée par les picoteurs aléthiens vers le huitième siècle? Qu'en subsiste-t-il? Un tronçon, avec un méchant portail, relevé sous Louis XIII ou Louis XIV. Où sont aussi ces trois gigantesques colonnes-phares, surmontées de flèches effilées, qui se dressaient fièrement près de cette basilique? Où l'église des Récollets avec son clocheton ouvré en dentelle? Ou l'hôpital Saint-Thomas et ses gothiques arceaux? Où ce vaste couvent des Bénédictins dont la chapelle, dans le style byzantin, était un chef-d'oeuvre d'architecture? Où encore le joli moutier des religieuses du Calvaire? Où donc enfin le palais épiscopal, qui rivalisait, disait-on, de luxe, de somptuosité avec celui de Rennes?

De tous ces édifices, si remarquables à un titre ou à un autre, il ne reste plus à cette heure que l'église Saint-Sauveur. Encore n'a-t-elle rien conservé des admirables sculptures qui faisaient autrefois son orgueil et y attiraient la foule des visiteurs.

Mais si Saint-Malo a vu tomber en poussière tous ses vieux monuments, il en a été un peu partout de même; et non pour le malheur de l'humanité. Si attrayant que soit le tableau rétrospectif de leurs beautés détruites, il ne doit point nous faire pleurer le passé et calomnier le présent. Notre âge vaut décidément, forcément et NATURELLEMENT mieux que ceux qui l'ont précédé: de même ses successeurs vaudront mieux que lui, car la loi du progrès nous emporte. Les arts produits délicats du sentiment contemplatif et extatique ont cédé le pas aux arts fruits de la civilisation industrielle; l'utile a succédé à l'agréable, l'application pratique à l'application idéale. Le droit du plus grand nombre s'est imposé aux prétentions de la minorité. Saint-Malo y a perdu peut-être; mais combien d'autres y ont gagné!

Soyons juste et véridique, d'ailleurs: Saint-Malo possède encore, valide et menaçant, son fort château féodal, que nous aurons bientôt l'occasion de décrire, et qu'on achevait d'édifier en , au moment où commence notre narration.

A cette époque, vis à vis du château, à quelques pas du pont-levis qui en garde l'entrée et «jouxte l'hospital Saint-Thomas,» dit un document du temps, devant l'hôtel de Chateaubriand, métamorphosé, hélas! aujourd'hui en une auberge, l'Hôtel de France, on voyait une maison de bois entrecroisés et de moellons, d'un seul étage, projeté à au moins deux pieds en avant sur le rez-de-chaussée. Cette maison, vieillotte, ratatinée, péchant quelque peu contre les lois de l'équilibre, mais proprette au dehors comme au dedans, avait trois entrées: l'une, la principale, sur une petite place, ombragée d'arbres, en face du château; les deux autres devant l'hôtel de Chateaubriand. Rien ne la distinguait de la généralité des habitations de Saint-Malo. Comme la plupart, elle était couverte en tuiles rouges, courbes, et ses portes et les volets de ses fenêtres à guillotine étaient bardés de fortes plaques de tôle, assujetties sur les panneaux au moyen de boulons en fer rivés. Seulement, l'une de ses portes de derrière s'ouvrait sur un perron, abrité par un appentis que supportaient deux colonnettes, et auquel montait un escalier en équerre, de quelques marches, muni d'une rampe en pierre pleine. Ce perron servait, pour ainsi dire, de vestibule aux appartements de l'étage supérieur.

C'est dans cette maison qu'était né Jacques Cartier; c'est là qu'il vivait avec sa femme, Catherine Desgranches, fille de Jacques Desgranches, «connétable de la ville et cité de Saint-Malo;» c'est à que nous le trouverons dans la soirée du dimanche avril .

Quoiqu'on soit au printemps, le froid est pénétrant au dehors; il tombe une pluie fine et glaciale.

Soulevons le lourd marteau de bronze, à tête de lion, posé à la porte du rez-de-chaussée, et entrons sans façon dans cette hospitalière demeure, où l'étranger honnête est toujours sûr de trouver franc accueil.

Descendant une marche, nous voici dans une longue et large salle basse: tout y annonce le séjour habituel du marin. C'est qu'en effet, fils de marin, Jacques Cartier est marin lui-même. Si son père fut l'un des riches armateurs de Saint-Malo, Jacques a encore augmenté le patrimoine qu'il lui a laissé. Mais, fidèle aux anciennes coutumes, il ne dédaigne ni le lieu où il poussa son premier vagissement, ni les habitudes de ses aïeux. Dans cette salle enfumée, aux solives noires comme le charbon, dans cette salle dallée, où, en plein midi, le jour filtre parcimonieusement à travers des vitres verdâtres, enchâssées dans des losanges de plomb, vous remarquez des filets, des instruments de pêche, des avirons, des ancres, des armes rangés ça et là ou accrochés à la muraille, ou suspendus au plafond. Une table massive, carrée, luisante, en bois bruni par l'âge et flanquée de deux bancs solides à défier la pesanteur d'un Gargantua, occupe tout le milieu de la pièce et réfléchit les capricieuses clartés réverbérées par une large et profonde cheminée, dans laquelle, sur un âtre plus élevé que le sol de la pièce, flamboient, en pétillant avec bruit, deux troncs de châtaignier, couchés horizontalement l'un contre l'autre. De là, ces rayons fantastiques vont se réfléchir sur une immense vaisselière, chargée de bassines en cuivre et de faïences coloriées qui renvoient la lumière jusqu'au fond de la salle où l'on distingue un lit monumental. Ce lit ressemble à une armoire sans battants; ses épaisses cloisons sont couvertes de sculptures, aux arêtes desquelles se joue la lumière, qui vient mourir enfin par l'ouverture de l'alcôve, en jetant un dernier reflet sur un grand Christ d'ivoire, fixé au fond et dont l'aspect, dans cette pénombre flottante, impose à l'esprit de hautes et graves pensées.

La pièce sert à la fois de cuisine, salle à manger, de travail, de réception et de chambre à coucher. On y sent circuler cet air patriarcal si rare aujourd'hui et qu'il fait si bon respirer.

En épousant Catherine Desgranches, en , Jacques Cartier avait fait meubler, à l'étage supérieur, un dans un goût plus moderne et plus en harmonie avec sa fortune. Il l'avait même habité du vivant de ses père et mère; mais, après le décès de ceux-ci, il était revenu s'installer dans la salle où avaient vécu et étaient morts ses ancêtres. Il espérait bien, lui aussi, y rendre l'âme à son créateur, si la mer, sa perfide maîtresse, lui en laissait le choix.

Huit heures venaient de sonner au beffroi du château.

Cartier, sa famille et quelques hôtes étaient groupés près du feu.

Assis dans une chaire en jonc, dans le coin de droite, sous le manteau de la cheminée, notre marin causait avec un brillant seigneur placé près de lui, sur un siège aussi primitif.

Ce seigneur était Charles de Mouy, sieur de la Meilleraye, vice-amiral de France.

Vis avis de Cartier, dans l'autre angle de la cheminée, on remarquait sa femme, Catherine Desgranches, qui achevait de tricoter un long bas de laine, mais dont les yeux rougis, les paupières gonflées par les larmes, annonçaient que, si ses doigts besognaient agilement, son imagination était absorbée par des réflexions bien étrangères à son modeste travail.

Près d'elle se tenaient Antoine Desgranches, son frère; Marc Jalobert, son beau-frère, et Me Julien Lesieu, notaire royal de la cour de Rennes. Derrière eux, la nourrice de dame Catherine, la mère Manon, filait à la quenouille, en marmottant des patenôtres; le timonier de Jacques Cartier, Jean Morbihan, raccommodait une paire de bottes de pêche; un domestique, Charles Guyot, faisait des filets; puis un gourmette , le jeune Lucas, dit Saute-en-l'Air, fourbissait, en baillant, le poignard de son maître. Enfin, à un bout de la pièce, devant une petite lampe, aux lueurs fuligineuses, s'agitait une servante, en train de ranger de la vaisselle sur une étagère.

On dit mousse aujourd'hui: mais cette dénomination, qui semble venir du hollandais, ne fut pas adoptée chez nous avant le milieu du dix-septième siècle.

Tous ces personnages, avec leurs physionomies et leurs costumes si caractéristiques, tous ces objets, diversement frappés par des jets vagabonds de lumière et d'ombre, enraient un spectacle saisissant, que dominait la belle et mâle figure de Jacques Cartier, ressortant comme dans une auréole aux rayonnements du foyer.

Il touchait à sa quarantième année. C'était un homme dans toute la force de la maturité, d'une stature moyenne et bien prise, nerveuse, vigoureusement constituée. Son visage était expressif, très-accentué, et la teinte brune que le haie de la mer y avait empreinte ajoutait encore à l'énergie de ses traits secs, même anguleux. Il avait le regard profond, un peu dur, les sourcils rapprochés, les joues maigres, presque creuses; le nez long, recourbé comme le bec d'un oiseau de proie, la lèvre inférieure légèrement proéminente ainsi que le menton. Il portait toute sa barbe, roussâtre et clair-semée. Le haut de sa tête, couronné par un front spacieux, sillonné de quelques rides, annonçait la promptitude, la vigueur des résolutions, l'opiniâtreté, l'ambition. Pleine de bonté, la partie inférieure ne manquait pas d'une certaine sensualité rabelaisienne; mais l'ensemble disait hautement la hardiesse des conceptions jointe à une fermeté d'exécution inébranlable.

Pour vêtement, il avait un feutre noir, à bords étroits et relevés à la mode du temps; un pourpoint de drap marron, serré à la taille par une ceinture de cuir, des braies de même étoffe, également galonnées, et des bottes molles, à retroussis. De son pourpoint entr'ouvert, s'échappait, en bouillonnant autour du cou, une fraise de fine dentelle, et sur sa poitrine pendait une petite arbalète d'argent, insigne de son grade de pilote hauturier.

—Oui, messire, par ma Catherine, si le vent vire cette nuit, nous appareillerons dès demain matin, disait Jacques en s'adressant à Charles de Mouy.

—Et il virera le vent, j'en suis sûr, moi; da oui; je sens ça à mes rhumatismes, marmotta le vieux Jean Morbihan.

—Tout est donc prêt? demanda le vice-amiral.

—Tout, messire, tout! Ah! j'attends depuis assez longtemps cette occasion d'élever mon pays au rang qu'il mérite dans l'histoire des découvertes modernes, répondit Jacques avec un enthousiasme qui fit soupirer sa femme. Oh! continua-t-il, en portant la main à son front, j'ai lutté, lutté depuis quinze ans! Il m'a fallu essuyer bien des déboires, bien des rebuffades. Enfin, grâce en soit rendue à votre généreuse initiative, messire, grâce aussi à la bonté de monseigneur Philippe Chabot, grand amiral de France, je possède aujourd'hui les lettres patentes qui m'autorisent à «voyager et aller aux Terres-Neuves, passer le détroit de la baie des Châteaux, avec deux navires équipés de soixante compagnons pour l'an présent.»

—Et par Neptune, je n'en suis pas fâché, maître Jacques! Notre seigneur le roi de France ne pouvait confier plus belle et plus noble mission à plus brave capitaine, s'écria Charles de Mouy en frappant sur la garde de son épée. Quand nous lui parlâmes du projet, il hocha d'abord la tête d'un air incrédule, car l'insuccès du Florentin Verazzani l'avait dégoûté de nouvelles expéditions dans les mers inconnues. Mais ayant aperçu je ne sais quel courtisan espagnol qui souriait ironiquement: «Foi de gentilhomme, reprit-il changeant soudain d'avis, vous avez raison. Chabot et de Mouy; nous aussi irons faire des conquêtes ès Terres-Neuves. Je voudrais bien connaître l'article du testament d'Adam qui lègue en entier l'héritage du Nouveau-Monde à mes cousins de Madrid et de Lisbonne.»

—Royalement parlé! fit Jacques en souriant.

—Min Gieu, ça n'est pas mal en tout pour un Français, murmura Jean Morbihan, vieux Breton qui non-seulement ne pardonnait point à la reine Claude d'avoir, en , consenti la cession définitive de la Bretagne à la France, mais ne croyait même pas à cette cession, et nourrissait contre les Français un sentiment de haine d'autant plus vif qu'il était moins raisonné.

—Oui, reprit le vice-amiral, et tout de suite François Ier mit deux navires à votre, disposition, maître Jacques, plus soixante hommes...

—Ah! dit Cartier, ce sont ces hommes qui ont été le plus difficile à rassembler. Vous ne sauriez croire, messire, combien de jalousies a suscitées autour de moi la faveur royale. Les marchands de cette ville se sont ligués, contre l'entreprise. Non contents de la décrier, ils ont tout fait pour débaucher les gens que j'engageais, les cachant ou les faisant cacher dans l'espérance que je renoncerais à mon dessein. Y renoncer! à ce dessein, le rêve de toute ma vie! les insensés! Néanmoins, sans l'ordonnance que j'ai obtenue de la cour de

Saint-Malo, défendant aux bourgeois et négociants de recéler mes mariniers et compagnons de mer, et sortir leurs navires du port jusqu'à ce que mes équipages fussent complets, à peine de cinq cents écus d'amende; sans cette ordonnance qui fut rendue et proclamée le dix-neuvième jour de l'année dernière, je doute que j'aurais pu réunir le monde nécessaire à l'expédition. Mais laissons là les doléances, et permettez-moi, messire, de vous remercier d'être venu pour assister à notre embarquement.

—Par Neptune! je n'aurais eu garde d'y manquer. Et vous croyez, maître, qu'il aura lieu demain?

—Je le souhaite, dit Cartier, mais il faut que la brise change, et passe au sud-ouest, le vent favorable pour sortir du golfe. Dans tous les cas mes mesures sont prises, mes gens enfermés à bord, et j'ai reçu la sainte communion aujourd'hui. Je pourrais mettre à la voile cette nuit même...

Comme il prononçait ces paroles, dame Catherine, ne pouvant se contenir davantage, éclata en sanglots.

—Non, non, tranquillise-toi, ma bonne femme s'écria Jacques; non, je ne partirai pas cette nuit...

—Si ce n'est pas cette nuit, ce sera demain, ait-elle d'une voix profondément altérée.

—D'ailleurs, continua Cartier, refoulant ses propres émotions et pour donner un nouveau tour à l'entretien, cette soirée nous la devons à la gaieté. On célèbre ici les fiançailles de ma pupille Constance Dubreuil avec mon neveu Étienne Noël; et j'ose espérer, messire, acheva-t-il, en s'inclinant devant Charles de Mouy, que vous daignerez signer le contrat.

—Avec plaisir, avec plaisir, dit le vice-amiral; mais où donc sont les futurs?

—Ce matin, la jeune fille est allée chez une amie, au pardon de Paramé. Quant à notre gars, comme il s'embarque avec moi, il a dû s'approcher aujourd'hui des sacrements. Et, après dîner, on l'a envoyé chercher sa prétendue. Ils ne tarderont pas à arriver... On frappe. Ce sont eux sans doute, ou messire le recteur qui doit bénir la cérémonie. Gourmette, va ouvrir.

Saute-en-l'Air avait déjà obéi.

Un robuste jeune homme, haletant, à la mine effarée, parut dans la salle.

—Constance est-elle rentrée? demanda-t-il d'un ton agité.

—Rentrée! Mais non, répondit dame Catherine, se levant avec inquiétude.

—Ah! mon Dieu! alors que lui est-il arrivé? On ne l'a pas vue de toute la journée à Paramé, repartit le nouveau venu, avec un accent de douleur indicible.

CHAPITRE II

LE DÉPART

—Que dis-tu là, Étienne? s'écria Jacques Cartier, en se levant; quoi! on n'a pas vu Constance à Paramé?

—Non, mon oncle, pas de la journée! répondit le jeune homme, les larmes aux yeux.

—Sainte Vierge! quel nouveau malheur encore! s'exclama la maîtresse de la maison, en joignant les mains.

—Min Gieu, ça n'est pas possible! ça n'est pas possible! grommelait Jean Morbihan d'un air consterné.

La vieille nourrice, étant sourde, regardait cette scène avec une sorte d'hébêtement, et cherchait à en deviner la signification. Le mousse riait malicieusement sous cape, en prenant grand soin de n'être pas remarqué. L'étonnement se peignait sur les traits du reste de la compagnie.

—Voyons, reprit Cartier, s'adressant à son neveu, ne pleure pas comme un enfant. Constance n'est point perdue; On la retrouvera. Tu es allé chez les dames Moreau?

—Mais oui, mon oncle.

—Et on t'a dit?

—On m'a dit que Constance n'était pas venue au pardon, comme elle l'avait promis.

—Oh! fit la femme du pilote, je ne sais quel pressentiment...

—Bon, bon, Catherine, ne sois pas ainsi affolée, interrompit maître Jacques. Constance n'a pu s'égarer. Il y a tout au plus une lieue d'ici à Paramé. Elle a fait cent fois le chemin...

—Mais les routes sont bien peu sûres, en ces temps! observa dame Catherine.

—Si le village où elle devait se rendre est près d'ici! intervint Charles de Mouy, avec un geste rassurant.

—Sans doute, sans doute, dit Cartier. La jeune fille aura changé d'idée et sera allée visiter d'autres amis, dans quelque paroisse voisine. C'est une intrépide marcheuse... un caractère et un corps de fer.

—Depuis quelques jours, elle paraissait soucieuse, remarqua tristement Catherine.

—Le fait est, murmura Jean Morbihan, que, depuis une huitaine, la jeune demoiselle était brumeuse comme une matinée de mars, dans l'île où elle est née, da oui!

—Que dis-tu là? lui cria Cartier.

—Oh! rien, rien en tout, répondit le vieux marin, reprenant de plus belle ardeur le rapiécetage de sa botte.

De temps à autre, Lucas glissait un regard sournois sur les assistants.

—Je vous demande bien pardon, messire, dit maître Jacques à Charles de Mouy...

—Je vous comprends. Vous allez vous mettre à la recherche de votre pupille. Avez-vous besoin de mes services? Je laisserai mes gens à votre disposition.

—Merci pour cette offre bienveillante, répondit Cartier; elle ajoute encore à ma dette de reconnaissance envers Votre Seigneurie. Mais mon monde suffira, j'espère. Du reste, il n'y a pas encore lieu de se tourmenter. Le couvre-feu n'est pas sonné. Constance peut rentrer par la poterne du château. Le sergent de garde la connaît, il ne manquerait pas de lui ouvrir si elle se présentait au guichet.

—Je suis tout marri de ce qui vous advient, repartit le vice-amiral, et je souhaite sincèrement, maître Jacques, que votre anxiété ne se prolonge pas davantage. Mais, puisque mes services ne vous sont d'aucune utilité, je vais me retirer... et demain, si vous avez besoin de quelque chose, comptez sur moi.

Après ces mots, il se leva, s'approcha de la femme du pilote, prit courtoisement congé d'elle et sortit de la salle pour rentrer au château, où il avait pris ses quartiers.

—Min Gieu! je me charge de la retrouver, notre demoiselle, s'écria le vieux Jean Morbihan, chaussant vivement ses bottes, dès que le vice-amiral fut parti.

—Où vas-tu? où veux-tu aller? s'enquit Cartier, qui réfléchissait.

Jean Morbihan se gratta le front d'un air indécis.

—Une idée, mon oncle! s'écria Étienne Noël.

—Voyons ton idée.

—Si Constance avait été chez nos parents de Saint-Hydeue.

—Non, non, dit dame Catherine. Elle n'est pas à Saint-Hydeue; ou elle aurait passé à Paramé et s'y serait arrêtée pour ouïr la sainte messe.

—A quelle heure a-t-elle quitté la maison? interrogea maître Jacques.

—Ce matin, à six heures.

—Mais que vous a-t-elle dit, ma tante? reprit vivement Étienne.

—Elle m'a dit qu'elle irait tout droit à Paramé, où elle était invitée et où elle assisterait à l'office divin avec les dames Moreau. Oh! combien je me repens de l'avoir laissée partir! Un pressentiment...

—Allons, femme, laisse là tes pressentiments! dit Cartier, avec une teinte d'humeur.

—Et que vous avez tort, maître! Da oui, c'est moi qui vous l'assure, riposta Jean Morbihan; les pressentiments...

—Tais-toi! signifia le pilote sévèrement. Ce n'est pas le temps de parler, mais d'agir. Holà! gourmette!

—Me voici! me voici! dit, en se frottant les yeux, Lucas, qui feignait de dormir étendu sur un banc.

—Toi, tu vas courir au presbytère de Roteneuf. C'est là que Constance a fait sa première communion; peut-être est-elle allée voir le bon recteur.

—Ça, mon gars, mets tes jambes à ton cou! ajouta le timonier, en appuyant ce conseil d'une vigoureuse claque sur la partie la plus charnue du corps de Lucas qui, par un bond prodigieux, prouva aussitôt qu'il n'avait pas usurpé son sobriquet de Saute-en-l'Air.

—Toi, Jean, mon vieux camarade, tu vas gouverner sur Saint-Hydeue, avec Étienne et Antoine, qui prendront de nouvelles informations à Paramé, et moi, je visiterai Saint-Servan, avec Charles tandis que mon beau-frère fera avec ma femme des recherches dans la ville.

—Volontiers, répondit Marc Jalobert d'un ton bourru.

—Et moi! me comptez-vous pour rien? si vous le souffrez, je vous accompagnerai à Saint-Servan, maître Jacques? insinua le notaire.

—Soit! consentit Cartier.

Et, s'approchant de la vieille nourrice, de plus en plus intriguée par ces mouvements et ces discours, dont elle commençait à soupçonner le sens, quoiqu'elle ne les comprît point parfaitement, il lui dit d'un ton bas qu'elle entendait assez bien, malgré sa grande surdité:

—Ce n'est rien, bonne Manon; ce n'est rien; nous allons sortir, n'ayez inquiétude. Bientôt nous serons de . Veillez, en nous attendant; et, si Constance rentre, qu'elle n'aille pas se coucher avant que je lui aie parlé.

—Et tiens du bouillon chaud, nourrice; car la pauvre Constance sera sans doute à demi morte de froid et de faim! ajouta du même ton dame Catherine.

—Oui, oui, répondit la vieille, par un mouvement des lèvres plutôt qu'avec la voix.

—Comment! tu es encore là, méchant morveux! tonna Jean, en administrant une nouvelle gourmade au mousse qui semblait fort occupé à mettre ses souliers, et prêtait néanmoins une oreille curieuse à ce qui se disait autour de lui.

Lucas détala avec l'agilité d'un écolier surpris en faute par son magister.

—Oh! pour l'amour de Dieu, ne battez donc pas ainsi ce pauvre enfant! s'interposa dame Catherine.

—Bah! il en verra bien d'autres à la mer, et c'est pour l'y accoutumer, tout doucement, ce que j'en fais là, voyez-vous, patronne, dit le père Jean en haussant les épaules.

Puis, se tournant vers Étienne Noël, dont le visage et la contenance portaient les traces d'une douleur amère:

—Min Gieu, mon gars, faut pas te dévaler comme ça! notre demoiselle n'est pas loin, c'est moi qui te le dis. On la retrouvera; sois tranquille. Le père Jean aimerait mieux ne pas s'embarquer demain que de lever l'ancre avant qu'on sache ce qu'elle est devenue. Tu oublies donc que c'est nous qui l'avons élevée, la vieille et moi; que je suis son premier nourricier... Mais en route!

Tout le monde quitta la maison, hormis Manon et la servante.

La pluie avait cessé; et le vent tournait au sud-ouest.

De grandes éclaircies bleues crevaient les nuages serrés comme les mailles d'un réseau à la voûte céleste. Ainsi que des diamants, les étoiles brillaient sous ce dais magnifique que la lune éclairait largement, par intervalles, de sa blanche et paisible lumière.

Le couvre-feu sonnait au moment où la famille Cartier se mit en quête de Constance. Les portes de la ville venaient d'être fermées. Mais, en sa qualité de gendre du connétable, maître Jacques put se les faire ouvrir à lui et aux siens. Tandis que Jean Morbihan, Antoine Desgranches et Étienne Noël partaient dans la direction qu'il leur avait indiquée, le pilote fouillait, avec son serviteur et Me Lesieu, Saint-Servan, qui était alors une dépendance, un faubourg de Saint-Malo, dont il ne se sépara, pour avoir une existence municipale propre, qu'en .

Mais toutes les investigations furent sans résultat. Personne de leurs connaissances n'avait vu Constance, ce dimanche-là. Vers minuit, Cartier rentra chez lui en se berçant de l'espoir que sa femme ou ses autres émissaires auraient été plus heureux, si même la jeune fille n'était pas revenue au logis.

Il n'en fut rien.

Vainement dame Catherine et Marc Jalobert s'étaient livrés à de minutieuses perquisitions dans la ville et dans le port. Constance n'avait pas été aperçue de la journée. Interrogé s'il l'avait vue sortir dans la matinée, le sergent de garde à la porte du château ne se le rappelait pas. Et cependant il connaissait bien demoiselle Constance!

La désolation de dame Catherine ne saurait se peindre; un chagrin profond envahissait le coeur de maître Jacques; instruite par la servante de ce qui se passait, la vieille nourrice sanglotait à fendre l'âme. C'est que si Constance n'était pas née des époux Cartier, elle était leur fille d'adoption depuis son bas-âge; et, n'ayant pas d'enfants, ils l'avaient élevée avec la tendresse d'un père et d'une mère; ils la chérissaient comme telle; disons plus: ils l'idolâtraient.

Silencieuse, mélancolique, entrecoupée seulement de gros soupirs, fut alors la veillée, dans cette salle immense, devant le brasier agonisant.

Assis à leur place respective, Jacques et sa femme craignaient de parler. A peine osaient-ils se regarder. Le coeur gonflé, les yeux secs, mais brûlants, l'oreille aux aguets, l'un et l'autre épiaient les bruits du dehors, pendant que la nourrice psalmodiait lentement les Litanies des Saints.

Tout à coup, Catherine se leva, et vint se jeter convulsivement dans les bras de son mari, qui avait aussi quitté son siège pour la recevoir. Pendant quelques minutes, ils mêlèrent leurs larmes et leurs lamentations.

—Ah! ne partez pas! au nom de Dieu! Jacques, ne partez pas demain! criait la jeune femme.

—Je te promets, répondit Cartier, que je ne m'éloignerai pas d'ici avant d'avoir des nouvelles de Constance.

—Vous me le jurez, n'est-ce pas? reprit Catherine se pendant à son cou.

Le pilote l'entoura de ses bras, la pressa contre sa poitrine et repartit avec tendresse:

—Oui, ma bonne femme, je te le jure.

—C'est, dit Catherine, que ce voyage m'effraie... un je ne sais quoi...

—Je t'en prie, ne parlons plus de ces craintes vagues qui paralysent mon énergie...

—Ah! si vous saviez, Jacques!

—Je sais que tu es la meilleure, la plus dévouée des épouses. Mais ton esprit timide est trop prêt à accepter pour des réalités les fantômes d'une imagination un peu superstitieuse. Voyons, raisonnons. N'ai-je pas fait dix fois la traversée de Saint-Malo à Terreneuve? m'est-il jamais arrivé un accident? Qu'appréhendes-tu donc? N'es-tu pas la femme d'un marin, la fille d'un brave soldat? Vrai Dieu! je te croyais plus courageuse, plus soucieuse de ma gloire!... car c'est vers le temple de la gloire que je naviguerai, cette fois. Le simple pilote Jacques Cartier deviendra célèbre dans le monde entier. Et, ajouta-t-il, en souriant de cette bouffée d'orgueil qui lui montait à la tête, le roi de France, pour récompenser mes services, anoblira le nom que tu portes, oui, je le déclare, je le prédis, je le prophétise, par ma Catherine, ma bonne Catherine! puisque j'ai pris l'habitude de t'invoquer dans toutes mes paroles, comme dans tous mes actes! acheva le pilote en baisant sa femme au front.

A cet instant, l'ombre d'un corps parut s'établir devant la fenêtre, à travers laquelle la lune déchirait ses rayons, qui venaient former, sur les dalles de la salle, un vaste treillis d'ébène à fond d'argent.

La vue de cette ombre attira aussitôt l'attention de Jacques Cartier, alors debout vis à vis de la fenêtre.

—Qui diantre peut être là à nous espionner? dit-il, se dégageant doucement de l'étreinte de Catherine.

Ensuite, il s'élança vers la porte et l'ouvrit brusquement.

Mais si rapide qu'eût été son mouvement, il trouva déserte la petite place sur laquelle donnait sa maison.

Cartier rentra rêveur dans la salle.

—Si je ne savais ce démon de gourmette loin d'ici, je serais disposé à penser que c'était lui, disait-il entre ses dents.

—Oh! fi! c'est vilain; vous aussi, Jacques, vous êtes prévenu contre le pauvre garçon; tout le monde lui en veut! fit dame Catherine d'un ton d'affectueux reproche.

—C'est, reprit le pilote, que sa conduite est singulièrement suspecte; depuis ces derniers jours surtout... Enfin!... Ah! qu'il me tarde d'avoir des nouvelles... où peut être cette petite fille?... Quelle heure est-il?

—Trois heures, mon ami; vous devriez vous reposer!

—Me reposer! me reposer! s'écria Cartier, frappant du pied et se mettant à arpenter la pièce. Oh! je n'y tiens pas. Le sang me bout dans les veines... Si j'allais visiter nos nefs! Qui dit que, d'aventure, l'un de mes mariniers ne l'aura pas aperçue? La plupart la connaissent.

—Nous n'y avions pas songé, Jacques!

—Oui; j'y cours.

Ce disant, le capitaine quitta de nouveau son habitation et se rendit dans le port, où il prit une embarcation qui le conduisit à bord de deux navires d'un faible tonnage, mouillés côte à côte, à l'embouchure de la Rance.

Ces bâtiments étaient ceux dont, en vertu d'une royale autorisation, Cartier devait disposer pour aller tenter des découvertes «ès terres-neuves.»

Le pilote questionna ses «mariniers,» mais ceux-ci ne savaient rien. Depuis un mois, du reste, le plus grand nombre demeurait jour et nuit enfermé dans les vaisseaux, telle était la crainte qu'ils ne désertassent. Et la veille, comme l'on attendait, à chaque moment, le signal du départ, tous ayant entendu la messe, communié dans les entreponts, pas un n'avait mis pied à terre.

Quand Jacques, fatigué de cette longue nuit d'agitation, quitta les navires, un homme de garde au bossoir lui demanda respectueusement:

—Pensez-vous, maître, que nous mettrons à la voile aujourd'hui?

—Je ne sais, répondit évasivement Cartier.

—Le vent est bon, cependant, repartit le factionnaire.

—Bon ou mauvais, que m'importe! fit Cartier, d'un ton qui contrastait étrangement avec sa fermeté habituelle.

Et il reprit le chemin de son domicile, dans un état voisin de l'abattement.

Le jour commençait à poindre.

Jacques Cartier rentra doucement dans la salle basse. Épuisée par les émotions, dame Catherine dormait, près du foyer éteint, la tête appuyée contre Manon qui égrenait son chapelet. Sans troubler son sommeil, le pilote ressortit, et, s'autorisant du nom du vice-amiral, s'introduisit au château, où il monta dans le donjon.

Parvenu au sommet, ses regards se portèrent avidement sur la route de Paramé.

O bonheur là une petite distance des remparts de la ville, s'avançait un groupe de quatre personnes, que l'oeil exercé du marin n'eut pas de peine à reconnaître.

C'était Constance, marchant entre Étienne Noël, Jean Morbihan et Antoine Desgranches.

Jacques redescendit bien vite et annonça à sa femme cette bonne nouvelle.

En l'apprenant, Catherine faillit s'évanouir. Mais si un excès de joie fait mal, ce mal est de courte durée. On en guérit aisément. Aussitôt remise, dame Catherine, sans attendre son époux, partit comme une flèche à la rencontre de la jeune fille.

Je renonce à décrire les félicités de cette réunion. La vivacité des premiers épanchements apaisée, on passa aux explications. Constance avait, disait-elle, été enlevée par une troupe de gens qui rôdaient près de Saint-Malo, et qui l'avaient conduite dans une maison abandonnée, à la pointe de Roche-Bonne. Elle était restée toute la journée du dimanche et une partie de la nuit dans cette masure, d'où l'avaient tirée, vers le matin, Étienne Noël, Antoine Desgranches et Jean Morbihan, D'ailleurs, on ne l'avait aucunement maltraitée et les vivres ne lui avaient pas manqué. Cette déclaration était quelque peu ambiguë. Le ton même dont elle fut faite manquait de sincérité. Mais on était si content de se revoir que personne ne s'avisa de la contester. Quant à Noël, Desgranches et Morbihan, ils avaient sans difficulté trouvé la trace de Constance. Témoin de l'enlèvement, un berger de Paramé l'avait raconté le soir, en ramenant son troupeau au village, de sorte qu'y arrivant une heure ou deux après lui, Étienne et Jean en furent informés. Mais le berger ignorait l'endroit où les ravisseurs avaient traîné leur proie. Nos quêteurs battirent donc la campagne tout le reste de la nuit. Le hasard ou l'instinct amoureux d'Étienne guida leurs pas vers le vieux bâtiment qui servait de prison à la jeune fille. La porte était à peine fermée par un verrou extérieur, le verrou fut tiré et Constance délivrée.

Elle était accablée de lassitude; dame Catherine la mit au lit, après lui avoir fait prendre un consommé.

—Allons, enfants, dit alors Jacques Cartier aux trois hommes, le vent est favorable. Qu'on se hâte d'en profiter. Rendons-nous aux vaisseaux pour presser les préparatifs du départ. Il faut qu'avant la nuit, nous soyons hors du golfe, dans la Manche!

—Mais, mon oncle, dit Étienne timidement, et mes fiançailles?

—Ah! fit Jacques, en souriant de son fin sourire, ces amoureux, ça ne pense qu'à leurs intérêts! Tes fiançailles, mon pauvre garçon, ce sera pour notre .

—Da oui! confirma Jean.

Cartier dit alors à sa femme:

—Ma chère Catherine, tu viendras vers midi, à bord avec Constance, me dire adieu. Je ne quitterai pas les navires.

Et, l'ayant embrassée avec une rapide brusquerie pour cacher sa tristesse, il s'éloigna à grands pas.

Le jour était tout à fait venu, un jour maussade et nébuleux: l'angélus tintait à toutes les cloches de Saint-Malo; le roulement des voitures commençait à se faire entendre, la ville et son port s'animaient.

Cartier et ses compagnons se furent bientôt transportés sur leurs vaisseaux. C'étaient deux brigs de soixante tonneaux chacun, avec un château de poupe, un gaillard d'avant assez élevé, comme on les construisait généralement alors, et une batterie en barbette de quelques caronades et passe-volants sur le pont.

Les deux navires portaient ensemble soixante et un hommes.

Et non le double, comme l'a écrit M. Léon Guérin, dans son Histoire maritime de France.

Nous l'avons dit, la presque totalité de ces hommes avaient été enfermés dans l'entrepont pour prévenir les désertions.

Dès qu'il fut arrivé à bord du premier des brigs, Cartier fit laver soigneusement le pont et ses bordages, fourbir les canons, ouvrir les sabords, et disposer le gréement pour le départ.

Son beau-frère, Marc Jalobert, surveillait l'exécution des mêmes travaux sur l'autre brig.

Ensuite, on pavoisa les navires de cent flammes et banderoles aux couleurs éclatantes, sur lesquelles tranchait brillamment, arboré à la poupe, le pavillon de Saint-Malo: l'hermine sans tache, en champ d'azur, à croix blanche.

Ces apprêts terminés, tous les hommes furent appelés et rangés, en double haie, sur le pont du brig. Quel spectacle curieux, pittoresque, incroyable, j'allais dire inimaginable! L'uniforme n'était guère connu alors. Aussi fallait-il voir ces gens, venus de toutes les parties de la Bretagne ou de la Normandie, avec leurs bonnets ou leurs larges chapeaux, costumes nationaux, galonnés, gris, blancs, verts, jaunes, rouges, bleus, de toutes les nuances. Et la coupe! aussi variée que la teinte de l'habit! Et les visages! aussi différents que les vêtements. Quant au langage, c'était, ma foi, bien autre chose encore! Quel jargon! quel patois! quelle cacophonie! Je renonce à plus accentuer ce tableau.

A midi, les cloches de Saint-Malo commencèrent à brimballer à toute volée.

Bientôt, du port, chargé, comme les remparts, d'une foule compacte et aussi bariolée que les équipages des deux brigs, se détachèrent trois barques.

Sur la première, se trouvait monseigneur l'évêque de Saint-Malo, dans toute la pompe sacerdotale, accompagné des principaux ecclésiastiques de son diocèse, également revêtus des ornements sacrés de leur ministère.

Ils venaient bénir l'expédition.

La seconde barque portait le vice-amiral, messire Charles de Mouy, sieur de la Meilleraye, couvert des insignes de son rang, et escorté par un brillant état-major.

Enfin, dans la troisième, on voyait dame Catherine, le coeur bien affligé, sous ses attifets de fête, Constance, sa fille adoptive, toute rayonnante de beauté, et divers membres de la famille Cartier.

Une salve d'artillerie annonça que les embarcations quittaient terre, dans une anse, alors ouverte près du môle actuel des Noirs.

Immédiatement, à la flèche du grand mât de chacun des brigs, se déploya dans toute sa majesté l'oriflamme royale: blanche, semée de fleurs de lis d'or, chargée des armes de France, entourées des colliers des ordres Saint-Michel et du Saint-Esprit, et deux anges pour support.

Dix coups de canon appuyèrent cette démonstration et les tambours battirent aux champs.

—Terr i ben! mâchonna Jean Morbihan entre ses dents, à la vue des couleurs de France flottant au-dessus de sa tête.

Pour qu'il se laissât aller à articuler ce redoutable juron, il fallait que le vieux Breton fût terriblement exaspéré. Mais, nous l'avons dit, il était réfractaire à toute idée de sujétion à la France. Aussi lui, qui se montra plein de déférence, d'humilité pour l'évoque, quand il aborda le navire de Jacques Cartier, affecta-t-il d'être gourmé et raide comme une barre de guindeau, à l'arrivée de messire Charles de Mouy, sieur de la Meilleraye.

Un autel avait été érigé sur le gaillard d'arrière. Le prélat dit une courte messe, que tout le monde entendit à genoux, et bénit les équipages et leurs bâtiments.

Ensuite, les hommes s'étant relevés, et ayant repris leurs rangs, le vice-amiral les passa en revue. Satisfait de cette inspection, dont il témoigna hautement son contentement, Charles de Mouy adressa aux mariniers une brève allocution pour leur recommander l'activité, la docilité et la soumission. Puis, tirant son épée, et la dressant en l'air:

—Jurez, leur dit-il, de toujours demeurer les féaux serviteurs de François, premier du nom, roi de France par la grâce de Dieu, et de vous comporter fidèlement à son service, sous le commandement général de maître Jacques Cartier, son bien-aimé pilote, chargé de ses pleins pouvoirs et autorité, dans l'entreprise pour laquelle vous vous êtes engagés.

—Le roi de France! le roi de France, mais, min Gieu, ce n'est pas mon roi, grommelait Jean Morbihan, debout à la barre du gouvernail.

Et se penchant à l'oreille de Cartier, placé devant lui;

—Dites, maître, faut-il que je jure aussi?

—Eh! sans doute! répondit celui-ci, impatienté de la longueur de la cérémonie; car il craignait que le vent, qui était alors excellent pour débouquer du golfe, ne tournât une seconde fois.

—Bah! pensa l'entêté timonier, personne ne fait attention à moi, je ne jure pas; non da!

Le serment prêté, Charles de Mouy accola cordialement Jacques Cartier; lui souhaita un heureux succès, et quitta le navire, en même temps que le clergé de Saint-Malo .

Je ne sais, vraiment, pourquoi, dans l'édition Tross () du premier voyage de Cartier, on a reproduit ce sommaire absurde du premier chapitre, qui se trouve dans une édition fautive:

«Comme messire Charles de Mouy, Chevalier, partit avec deux navires de Saint-Malo, et comme il arriva en la terre neuve, appelée la Françoise, et entra au port de Bonne-Vue.»

Jamais Charles de Mouy, vice-amiral de France, ne s'embarqua pour les «terres neuves.» Cela ne fait pas de doute. Il se contenta d'appuyer Cartier de son crédit et de passer en revue ses équipages. C'est ce que déclarent avec raison MM. Cunat, Garneau (Histoire du Canada), L. Guérin, etc.

Le sommaire de la même relation publié par la Société littéraire et historique de Québec est conforme à la vérité.

Le voici:

«Comme le capitaine Jacques Cartier partit avec deux navires de Saint-Malo, et comme il arriva en la Terre-Neuve et entra au port de Bonne-Vue.»

Le capitaine Jalobert étant né à son bord, avec ses gens, outre l'équipage ordinaire, il ne resta plus sur le brig de Cartier que dame Catherine et Constance, lesquelles voulurent accompagner Jacques jusqu'à la sortie de la rade, malgré l'avis de celui-ci qui craignait un grain.

La brise était fraîche et forte, les voiles furent déferlées, les ancres levées, et, vers trois heures de l'après-midi, les deux brigs doublaient, à l'embouchure de la Rance, la pointe de la Cité, au bruit de l'artillerie et aux puissantes acclamations d'une multitude enthousiaste.

C'était le vingt avril de l'an de grâce mil cinq cent trente-quatre.

CHAPITRE III

LE SAUVEUR

Après avoir prolongé les îles du Grand-Bey et du Petit-Bey (alors mont Olivet), dont les fortins les saluèrent de plusieurs coups de canon, nos brigs s'engagèrent dans le chenal ouvert entre les deux Conchées, pour gagner la haute mer.

Déjà, l'ordre était établi à bord. Sur le pont, dans les haubans, dans le gréement, on ne voyait que les hommes employés au pilotage des navires et à l'orientation des voiles.

Penché à la barre du gouvernail, et les yeux fixés sur les balises disposées ça et là dans la passe, pour indiquer les écueils, le vieux Jean Morbihan rayonnait d'allégresse maintenant. En vérité, il était dans son élément; il jouissait de la vie, comme oiseau dans l'air, poisson dans l'eau.

Derrière lui, sérieux, vigilant, imposant, heureux toutefois de ce bonheur qui emplit une âme honnête à la veille de réaliser un rêve glorieux longtemps caressé, Jacques Cartier, son sifflet à la main, commandait la manoeuvre. Près d'eux, étaient accoudées, à la rampe de la poupe, dame Catherine et Constance. L'une et l'autre se tenaient silencieuses, livrées à leurs propres réflexions. Mais quel abîme entre les réflexions de la jeune fille et celles de la jeune femme! Noyée dans une amère mélancolie, insensible aux brillantes perspectives qui miroitaient devant les regards de son mari, celle-ci songeait douloureusement à la longue, peut-être bien longue absence dont elle était menacée, aux noirs tourments de la vie solitaire, aux déchirantes angoisses de l'anxiété. Et la pauvre Catherine, plante timide d'une exquise suavité, mais dont les parfums délicats ne s'exhalaient que dans la serre-chaude des tendres épanchements, se reprochait sincèrement l'affliction dont son coeur était navré. Elle eût voulu être hardie au danger, inaccessible aux douces impressions, audacieuse pour partager les projets et même les fatigues de Jacques. Elle se gourmandait de manquer de fermeté, de vaillance, et s'accusait, comme d'un gros péché, d'attrister encore par son humeur chagrine les derniers instants de leur séparation.

Quant à Constance, frais bouton de fleur exotique qui s'ouvrait à l'existence et en pompait avec ardeur tous les sucs, ses pensées suivaient, nous l'avons dit, un bien autre cours. Et si la joie n'en faisait pas le fond, elle y entrait au moins pour une grande, trop grande part.

Cette jeune fille pouvait avoir seize ans. Elle était belle d'une beauté singulière, captivante, fascinatrice. Rien de régulier dans ses traits, mais beaucoup de provocation, beaucoup d'appels à la sensualité. L'oeil fauve, très-fin, plein d'éclairs, mais sachant modérer ses feux, les atténuer et se voiler tout à fait, sous de chastes paupières, frangées de ces longs cils que l'on voit aux tableaux des madones. Brillants ou assoupis, ses regards avaient des charmes irrésistibles, rehaussés encore par une bouche espiègle, humide, vivement carminée, dont les séductions ne sauraient se dire. Au nez agréable, des ailes mobiles, voluptueuses; au menton grassouillet, d'un contour harmonieux, une fossette, vrai nid d'amour, tout cela couronné par un front étroit, il est vrai, opiniâtre, mais qu'encadrait une chevelure noire, à reflets bleuâtres, si épaisse, si soyeuse! et tout cela posé sur un col d'une adorable pureté de lignes, auquel venaient se nouer des épaules déjà riches malgré l'âge encore tendre de Constance. La taille, les mains, les pieds, les attaches étaient à l'avenant, quoique l'ensemble du corps fût mignon à ce point qu'il semblait la réduction de l'un des chefs-d'oeuvre de la statuaire antique. Ce défaut était peut-être la qualité qui attirait sur Constance les désirs des hommes. Mais il en était un autre dont se gaussaient les blondes filles de l'Armorique, et qui ne lui conquérait pas moins les regards convoiteurs de l'autre sexe. C'était une de ces carnations olivâtres auxquelles se complaisait le pinceau de Murillo, et dont un léger duvet, de nuance encore plus foncée, estompait la lèvre supérieure. Ah! j'oubliais une brune lentille, —encore une tentation,—au lobe de l'oreille gauche.

En fallait-il plus pour soulever bien des jalousies, bien des rivalités! Ajoutez que Constance avait de la coquetterie jusqu'au bout de ses ongles menus, teintés comme une feuille de rose du Bengale; et puis, capricieuse, volontaire, entêtée, emportée. Cartier l'avait peinte, d'un trait, à Charles de Mouy:—Des membres et un caractère de fer.

En dépit des coutumes bretonnes et au grand regret du vieux Morbihan, qui l'adorait, Constance était mise à la dernière mode française. Tandis que la bonne dame Catherine se contentait de la blanche coiffe, plate, à barbes, tombant sur les épaules, de la casaque de berlinge marron, ornée de ganses violettes, du justin garni, de la jupe courte, des bas à coins et de la grossière chaussure nationale, sa fille adoptive portait le chaperon de velours rouge, avec templettes parfilées d'or; l'élégante basquine de camelot de soie, sous une marlotte, doublée de pelleteries; la vertugale en forme d'entonnoir renversé, la robe de drap bleu, taillée en carré et décolletée sur la poitrine, à manches retroussées et flottantes sous le coude, suivant le goût du jour; enfin, elle avait des chausses ou bas écarlates et des escarpins de velours cramoisi, très-épatés du bout, très-découverts, avec engrelure imitant des barbes d'écrevisse.

C'était là le costume d'une noble demoiselle et non celui d'une bourgeoise. Mais Cartier tenait déjà quelque peu à la noblesse par son titre de pilote du roi, et par son alliance avec Catherine Desgranches. Si, plus d'une fois, les coûteuses fantaisies de Constance avaient fait murmurer dans la société qu'il fréquentait à Saint-Malo, jamais le brave capitaine n'avait su résister à un caprice de sa «fi-fille» chérie.

L'eût-il osé, il lui aurait mis sur les épaules un de ces magnifiques manteaux de vison blanc que, plus d'une fois, il avait rapportés des côtes de Terreneuve. Mais à cet égard les ordonnances étaient formelles. Seules les reines et les princesses du sang pouvaient se permettre pareil luxe. En revanche, il lui avait donné une superbe fourrure en petit-gris, que l'on voyait jetée sous son bras gauche, car, malgré la force de la brise, il faisait une chaleur toute vernale, dont on savourait, avec délices, les vivifiantes émanations après une longue et rigoureuse saison de froid.

Penchée mollement sur le garde-corps, Constance suivait, d'un oeil distrait, le ruban de moire argentée que le navire déroulait derrière lui, et agitait nonchalamment dans sa main droite son beau panache, bouquet de plumes d'autruches, qui servait aux dames d'éventail en été et d'écran en hiver.

—Enfin, se disait-elle, je vais être délivrée des importunités de ce pauvre Étienne. Ce n'est certes pas ma faute, à moi, si je ne puis l'aimer! D'où lui est venue la folie de me vouloir épouser? de me demander en mariage à son oncle? Mais, si j'étais unie à lui, je le rendrais malheureux, très-malheureux. Cela est certain. Cependant, il m'eût été pénible de refuser sa main, quand je voyais tout le monde satisfait par cette alliance. Mais à moi, elle ne me souriait pas du tout, oh! non, du tout. Et, n'eût été mon enlèvement hier, j'aurais, vraiment; déclaré net mes intentions à l'heure des fiançailles....

Mon enlèvement! répéta-t-elle à mi-voix et en souriant.

—Que dis-tu là, Constance? demanda dame Catherine, qui avait entendu ces derniers mots.

—Oh! rien, mère; rien, répondit-elle négligemment.

—Tu songes, sans doute, qu'il est bien cruel de quitter ceux que l'on affectionne?

—Bien cruel, en effet; oui, mère, répliqua Constance d'un ton froid.

—Chère enfant, poursuivit dame Catherine, en jetant son bras autour de la taille souple et cambrée de la jeune fille, chère enfant, que j'aurais aimé à voir célébrer tes accordailles avec ce bon Étienne avant son départ! Il me semble que tu ne serais plus aussi seule. Et puis nous serions deux pour soupirer, pour rêver à nos époux absents. La douleur partagée est moins lourde à porter. Mais Dieu ne l'a point voulu. Que sa volonté soit faite! Tout était prêt, hier soir, pour la cérémonie, néanmoins, et sans cet enlèvement, comme tu disais, il y a un instant...

—Ah! mère, regarde donc! s'écria tout à coup Constance à qui cet entretien ne plaisait guère.

—Qu'y a-t-il? fit dame Catherine, avec bonté.

—Un homme à la pointe de la Grande-Conchée.

—Eh bien, cela te surprend? Ne sais-tu pas que cet ilôt est un lieu de rendez-vous pour les pêcheurs?

—C'est vrai, mais cet homme...... balbutia Constance.

—Il nous salue, dit Catherine, qui avait levé les yeux vers un amas de rochers sortant des flots à tribord de la barque.

—Sainte Vierge! s'exclama la jeune fille en rougissant, c'est.....

—Allons, mes enfants, interrompit alors la voix mâle, mais alors tremblante, de Jacques Cartier, allons, il faut nous quitter!

Et, le pilote, attirant sa femme à lui, la pressait avec effusion dans ses bras.

—Quoi! déjà! faisait celle-ci, qui était devenue d'une pâleur livide.

—Du courage, ma chère Catherine!

—Du courage! ah! je supplierai le bon Dieu de m'en donner...

—Et il ne manquera pas d'exaucer tes prières, ma bonne amie. Mais, là, ne pleure pas comme une Madeleine ou mon coeur se va fondre aussi, et je donnerai un méchant exemple à mes gens.

—Que le ciel vous protège et vous ramène le plus tôt possible près de nous, mon bien-aimé Jacques! repartit Catherine en essuyant ses larmes.

—Oui, oui, dans trois ou quatre mois, je serai de ...

—Soir et matin, je ferai des oraisons pour vous et dès demain nous irons, avec Constance, brûler un cierge à la chapelle de Saint-Ouen...

—Soyez sûres que, moi non plus, je ne vous oublierai pas dans mes prières, reprit Cartier d'un ton profondément ému... Mais qu'examines-tu donc là, Constance? ajouta-t-il, en s'adressant à la jeune fille qui contemplait toujours l'homme debout à la pointe de la Conchée, que le brig avait dépassée d'une centaine de brasses.

Sans lâcher le gouvernail, Jean Morbihan s'était né.

—Terr i ben! proféra-t-il à cet instant d'une voix qui fit tressaillir les auditeurs, terr i ben! Mais c'est le maudit chef des Tondeux. Je le reconnais à la plume noire qui ombrage son chapeau.

—Tu crois? dit ingénument Constance.

—Terr i ben! répéta le matelot tout frémissant de colère; capitaine, prenez ma place et laissez-moi monter dans une barque. Il faut que je m'empare de ce misérable!... il faut...

—Tu es fou! répondit Cartier. Tu vois les Tondeurs partout, et ils n'ont jamais existé que dans ton imagination...

Morbihan était furieux, il voulut protester.

—Assez! enjoignit sèchement le pilote, qui tira un son aigu de son sifflet.

Étienne Noël arriva sur la dunette.

—Vous m'avez appelé, mon oncle?

—Oui. Fais tes adieux à ta future épouse et à ta tante.—Pour vous, mes aimées, dit-il aux deux dames, vous devez vous bâter. Le vent s'élève, la mer grossit. Il serait fort imprudent d'aller plus loin.

Étienne s'approcha de Constance; il désirait parler; il avait quelque chose, un mot d'amour à lui dire; mais si son coeur débordait, sa gorge était serrée; il fut incapable d'articuler une syllabe, et embrassa si gauchement la jeune fille, que Cartier ne put réprimer un sourire.

—Adieu! adieu! Jacques, dit encore une fois dame Catherine, en se précipitant sur le sein de son mari.

Puis, ayant tendu la main à Jean, qui mouilla cette main de ses larmes, elle descendit dans le bateau que deux hommes, qui l'avaient amenée à bord, conduisaient amarré au brig. Constance répondit froidement à Cartier, dont l'affectueuse et paternelle étreinte ne fit vibrer aucune fibre dans son âme ingrate, fermée aux doux et bons sentiments. Ensuite, elle s'approcha du vieux Morbihan, qui, en appliquant un vigoureux baiser sur chacune de ses joues, lui souffla à l'oreille:

—Petiote, petiote, prends garde au chef des Tondeux!

—Est-ce donc lui qui était sur la Conchée? demanda Constance avidement.

—Min Gieu, oui! répliqua le matelot.

—Ah! vraiment! fit-elle d'un air surpris.

Et, elle sauta légèrement dans la barque , sans même accorder un regard au malheureux Étienne Noël, qui demeurait comme pétrifié sur le tillac.

Je me souviens d'avoir lu quelque part que la préceinte Supérieure des vaisseaux de Cartier était si peu élevée au-dessus de la ligne de flottaison, que du pont on pouvait se laver les mains dans la mer.

Dame Catherine s'était déjà placée à l'avant de l'embarcation, d'où elle pouvait voir son mari et lui adresser encore quelques signes de tendresse; Constance s'assit à l'arrière, mais ayant en face d'elle les Conchées qu'on apercevait, avec d'autres îlots, comme des points noirs à l'horizon.

—Pourquoi donc te mets-tu là? lui demanda Catherine.

—Oh! maman, un tout petit caprice. Je voudrais gouverner.

—Mais la mer est trop mauvaise! Laisse Cadet prendre la barre.

—Du tout! du tout! fit Constance avec un geste mutin. J'ai souvent dirigé ma yole par un temps plus méchant que celui-là et jamais il ne m'est arrivé le moindre accident.

Dame Catherine était trop habituée à se plier à toutes les inclinations de la jeune fille pour insister en cette occasion.

—Tourne donc au moins la tête! Étienne t'envoie un adieu! reprit-elle en agitant un mouchoir, trempé de ses larmes, vers Jacques Cartier, que la brise, devenue violente, emportait rapidement vers le nord-ouest.

Mais Constance, tout occupée au gouvernail, ne répondit pas à cette invitation. Du reste, les vagues étaient hautes déjà. Le vent commençait à souffler par saccades de mauvais augure. Et il fallait non-seulement que la jeune fille fût rompue à la lâche qu'elle s'était imposée, mais qu'elle eût des muscles d'acier, pour l'exécuter avec autant de dextérité.

Courbés vis à vis d'elle sur leurs avirons, les deux bateliers admiraient franchement son aisance et sa vigueur.

Vraiment c'était merveille que de la voir, les yeux étincelants d'intrépidité, les joues empourprées, guidant avec une pareille adresse leur lourde embarcation, malgré l'intumescence du ras de marée.

La reine des ondes, se jouant d'une tempête qu'elle a soulevée, n'aurait pas montré plus d'audacieuse sérénité.

Cependant le ciel se couvrait. De lourds nuages noirs, aux franges cuivrées, le marbraient à l'occident; des bruits sinistres couraient dans l'air, en de longs et funèbres gémissements; le soleil à son déclin pâlissait, comme d'épouvante, quand un voile d'ébène n'en dérobait pas entièrement la face; les rameurs échangeaient entre eux des regards inquiets et pressaient de toutes leurs forces la marche de l'esquif. Ils n'avaient point peur sans doute, mais une appréhension vague les envahissait peu à peu.

Ces symptômes menaçants échappaient à dame Catherine, dont la vue, rivée à l'horizon, cherchait encore à discerner son mari sur le brig s'évanouissant dans le lointain; Constance frémissait d'une âpre volupté, et, la tête haute, humant avec délices les pénétrantes senteurs marines, le sein gonflé, les cheveux dénoués au vent, superbe et provocante comme une des vierges-prophétesses de l'île de Senn, elle semblait défier toute intimidation, lorsque, soudain, une rafale stridente, rugissement de bête fauve en rut, déchira l'atmosphère et donna aux éléments le signal du combat.

—C'est le kirk! c'est le kirk! Marie, mère de Dieu, priez pour nous! s'écria l'un des hommes.

—Oui, c'est le kirk! Hardi! pèse à l'aviron! lui commanda fièrement Constance.

Et c'était le kirk en effet, ce formidable vent du sud-ouest qui, parfois, aussi mortellement ravage les côtes armoricaines que le mistral ou le sirocco le littoral de la Méditerranée. En quelques places, près du Conquet par exemple, la violence de ses coups porte l'écume de la mer jusqu'à cent cinquante mètres au-dessus de son niveau! Rien d'affreux comme les hurlements sauvages de l'ouragan, et la furie des flots rendant un son creux, plein d'angoisses, de lamentations sépulcrales.

Et ce soir-là la tempête avait éclaté avec une rage élevée subitement au paroxysme. C'était, pour me servir des couleurs d'un des plus grands peintres bretons, «c'était une immense bataille dans les plaines humides. On eût dit, à voir bondir les vagues, ces innombrables cavaleries de Tartares qui galopent sans cesse dans les plaines de l'Asie. L'entrée de la baie était comme barrée par une chaîne d'îlots de granit: il fallait voir les lames courir à l'assaut avec d'effroyables clameurs; il fallait les voir prendre leur course et voir à qui franchirait le mieux la tête noire des écueils. Les plus hardies ou les plus lestes sautaient de l'autre côté en poussant un grand cri; les autres, plus lourdes ou plus maladroites, se brisaient contre le roc en jetant des écumes d'une blancheur éblouissante et se retirant avec un grondement sourd et profond, comme les dogues repoussés par le bâton du voyageur.»

Tantôt à la crête d'une montagne liquide, d'où l'on découvrait un espace immense, formé en avant par le port et la ville de Saint-Malo, et tantôt au fond d'un abîme, pressé, surplombé de tous côtés par les ondes tumultueuses qui montent, croulent, s'entassent, recommencent leurs écroulements et leurs entassements, le frêle esquif est à chaque instant sur le point de s'engloutir dans l'incommensurable tombeau dont il affronte les horreurs, ou fracassé aux angles aigus de ces récifs sur lesquels se brisent les lames en délire.

Nulle parole n'est échangée; quelle, d'ailleurs, serait entendue à travers les étourdissantes vociférations de la tourmente?

La femme de Cartier prie pour son mari et pour Constance. Enfiévrée, les vêtements en désordre, ruisselante d'eau, celle-ci s'efforce de garder le cap sur la Grande-Conchée, dont elle distingue, par intervalles, les hauteurs escarpées, lorsque sa barque se dresse à la cime des flots.

Mais le soleil a tout à fait disparu; le temps s'assombrit de plus en plus, les vagues mugissantes se teignent de noir, à lugubre reflet d'acier; bref sera le crépuscule, et alors les ténèbres doubleront encore les dangers, les horreurs de la situation.

De vrai, l'on n'est plus guère qu'à une centaine de brasses des Conchées ou de la Ronfleresse. Mais comment? ou aborder? La barque ne serait-elle pas dix fois mise en pièces avant d'atteindre la grève, si même on y parvenait? Pousser droit à Saint-Malo? Impossible d'y songer. Les bateliers étaient épuisés. L'embarcation avariée faisait eau en vingt places. Dans une demi-heure, elle sombrerait évidemment.

Constance même se sentait lasso, prise de vertige. L'abîme lui faisait peur. Elle avait peine à se maintenir sur son banc, quand un aviron cassa tout à coup. L'équilibre du bateau en fut rompu; Constance ne réussit pas à ressaisir le fil de la vague qui les entraînait, et, tel qu'une avalanche, un énorme paquet de mer s'abattit sur eux.

Ils enfoncèrent tous sous cette masse fluide et reparurent, un instant après, à la surface des ondes. Mais, de quatre personnes, il n'y en avait plus que trois; un des bateliers était perdu à jamais avec la barque. Tenant la dame Cartier par ses vêtements, l'autre batelier tâchait d'imiter Constance, qui nageait désespérément vers la Grande-Conchée.

Cependant les ombres s'épaississaient; les tourbillons d'air et d'eau allaient toujours augmentant; quoique la terre fût proche, il restait aux naufragés bien peu de chances de salut.

Dans le coeur de Constance l'effroi succédait à la vaillantise.

—Courage! courage! cria à ce moment une voix dont les accents couvrirent, pour quelques secondes, le vacarme des éléments.

—Courage! courage! répéta la même voix.

Et, au milieu des ténèbres naissantes, sur les flots, apparut le buste d'un homme, qui arrivait de l'île voisine.

Avec grande difficulté, il s'approcha de Constance, l'enlaça d'un bras à la ceinture, et, lançant au batelier une corde qu'il avait à la main, il se remit à nager vers la Conchée, où il aborda, au bout d'un quart d'heure, après des efforts inouïs pour n'être pas lacéré, avec son doux fardeau, aux tranchantes arêtes de pierre qui hérissaient le rivage.

La nuit était tout à fait venue.

CHAPITRE IV

LA SORCIÈRE

Émergeant de la mer, à deux milles environ de Saint-Malo, les Conchées forment le sommet d'un arc d'îlots, relié au continent par la pointe du Décollé au nord, et la pointe de la Varde au sud. D'ailleurs, à l'exception de Césembre, ces îlots ne sont guère que des écueils, des brisants, plus ou moins escarpés et, pour la plupart, couverts par le flot, à l'époque des syzygies ou hautes marées.

Cependant la Grande-Conchée, jadis appelée roc de Quince, occupe une étendue et une importance suffisantes pour qu'on ait cru devoir y élever, à la fin du dix-septième siècle, d'après les plans de Vauban, un fort destiné à protéger le mouillage de la passe de la Fosse-aux-Normands. Mais, en , l'on ne voyait sur ce récif que deux ou trois misérables huttes pratiquées dans les anfractuosités du rocher et fréquentées par les pêcheurs que le mauvais temps forçait d'y chercher un abri temporaire.

C'est à la rive septentrionale de la Grande-Conchée qu'avait atterri le sauveur de Constance. Quatre hommes, vêtus comme des matelots, se tenaient là, lui prêtant leur aide, car il avait autour du corps une corde sans le secours de laquelle il ne serait jamais parvenu à regagner l'îlot.

—Mort de ma vie! je ne croyais pas la mer aussi dure! proféra-t-il en remettant le pied sur la grève.

—Nous avions toutes les peines du monde à résister au vent qui nous poussait d'un côté, tandis que la corde à laquelle vous étiez attaché nous entraînait de l'autre, dit l'un des hommes.

—Oh! ç'a été pour vous une rude corvée! reprit-il ironiquement.

—Non pas rude; cependant...

—Bon, bon; mais la seconde corde, celle que j'avais emportée à la main?

—Cassée! elle vient de casser!

—Comment! elle a cassé?

—Oui, marquis, elle s'est rompue au moment même où elle se tendait et où nous pensions ramener ceux qui devaient s'y être amarrés.

—Mort de ma vie! voici un vilain incident! Alors la femme du pilote est perdue, car il fait noir comme dans le trou du Diable, et la mer est si méchante que pas plus maintenant que tout à l'heure nous ne pourrions mettre une embarcation à flots.

Comme pour confirmer ces paroles, une vague gigantesque vint, en meuglant, fondre sur eux. Pour n'être pas emportés par cette vague, ils n'eurent que le temps de se réunir en un groupe serré, en entrelaçant leurs bras et leurs jambes, et formant ainsi une inébranlable colonne de muscles et d'os.

Le libérateur de Constance tenait, pressée contre sa poitrine, la jeune fille à demi évanouie.

—Ça, mes gars, dit-il, quand la lame se fut retirée, tant pis pour ceux qui sont lâchés; allons nous réchauffer.

Et, passant devant les hommes avec sa protégée, il escalada quelques roches qui le conduisirent au sommet de la Conchée, dont le plateau fort étroit était coupé par une crevasse, au fond de laquelle on apercevait de la lumière.

Guidés par cette lumière, nos gens descendirent dans la crevasse, où les quatre matelots quittèrent l'individu qui avait arraché Constance à l'abîme; et celui-ci entra aussitôt dans une espèce de grotte, éclairée par une torche de résine.

—Maharite! Maharite! appela-t-il d'un ton dur.

—Maharite y est pour le maître, rien que pour son maître; la joie soit avec lui! répondit, en bas-breton, une voix qui semblait monter des entrailles de la terre.

Et l'on vit surgir d'un coin de la grotte un corps étrange, si courbé vers le sol qu'on eût dit qu'il marchait à quatre pattes.

—Mort de ma vie! que faisais-tu donc? fut-il repris impérieusement.

—Maharite préparait le louzou pour la pennèrès .

Plante douée de vertus magiques, que l'on va cueillir, le samedi, à minuit.

Jeune fille à marier.

—Toujours tes magies, hein? tu finiras sur un bûcher!

—Et toi, mon maître, repartit railleusement Maharite, toi tu finiras au bout d'un écheveau de chanvre!

—Tais ta langue! tais ta langue, femme! et fais du feu pour cette jeune fille!

Le monstre tourna à demi sa tête, dont les cheveux tombants balayaient la terre, et un sourd grognement sortit de sa bouche:

—Encore une victime!

Ce n'est pas sans raison que nous l'appelons monstre, car il est impossible d'imaginer quelque chose de plus hideux que cette pauvre créature. Non-seulement une affreuse difformité l'obligeait de marcher à la manière des bêtes, mais son visage n'avait plus rien d'humain. Il n'était que cicatrices d'un rouge sombre, violacé, on le nez apparaissait seulement comme les deux cavités qui trouent celui d'une tête de mort, où les yeux saillissaient entre des bourrelets de chair sanglants comme des phlegmons, où, pour en finir tout de suite avec ces horreurs, la bouche, dépouillée de ses lèvres, montrait une double rangée de dents magnifiques, mais dont la blancheur même augmentait encore l'odieux de cet épouvantable masque.

—Dépêche! et fais du feu, te dis-je, répéta l'homme, en étendant Constance sur un lit de plantes marines sèches.

Sans avoir tout à fait perdu connaissance, la jeune fille n'avait plus, depuis l'engloutissement de la barque, le sentiment exact de son être. Elle voyait et entendait à demi, mais ne pouvait apprécier les objets ou les choses.

Dans une petite niche de la caverne, son sauveur prit une bouteille d'eau-de-vie, dont il versa quelques gouttes sur les lèvres et sur les tempes de Constance, qui aussitôt s'agita, frissonnante, sur sa couche.

—Où suis-je? demanda-t-elle, en promenant ça et là des regards étonnés.

—Vous le saurez dans un instant, répondit-il d'un ton courtois. Mais soyez assurée toutefois que vous êtes en sûreté.

—Ah! c'est vous! s'écria-t-elle en frémissant au son de cette voix.

—Je vous effraie? fit-il tristement. Mon costume...

Et ses yeux tombèrent sur ses jambes nues, sa chemise et ses braies, d'où l'eau coulait comme d'un ruisseau.

—Vous oubliez, messire Georges, dit-elle, que, quand même je ne vous devrais pas ma vie, je serais bien mal avisée en ayant attention à votre accoutrement, car le mien...

Et, à son tour, elle jetait les yeux sur sa toilette, si fraîche deux heures auparavant, en si pitoyable condition à cet instant.

Mais, s'interrompant:

—Et ma mère, et nos bateliers? interrogea-t-elle avidement.

—Oh! j'espère qu'ils sont sauvés aussi! répondit Georges d'un air embarrassé.

—Pensez-vous?

—Oui; du reste, j'ai envoyé une barque à leur recherche... Mais je vais me retirer pour vous laisser changer de vêtements...

—Qui m'en donnera?

—Cette femme que vous voyez accroupie et qui chante devant l'âtre.

—Quoi! la sorcière!

—Vous la connaissez. Constance? s'écria-t-il, avec un émoi qu'il s'efforça ensuite de dissimuler.

—Eh! qui ne connaît la sorcière de la Conchée! Nous sommes donc sur l'île?

—Oui... commandez à Maharite et elle vous obéira... Je sors; me permettez-vous de revenir?

—Oh! oui! Ne me laissez pas longtemps Ici, supplia-t-elle en tendant sa main à Georges, qui y imprima un baiser.

Puis il quitta la caverne; et Constance demeura seule avec la sorcière, laquelle chantait d'une voix étrange ce chant plus étrange encore:

«—Merlin, Merlin, où allez-vous si matin avec votre chien noir?

«—Je reviens de chercher le moyen de trouver ici l'oeuf rouge.

«Je vais chercher dans la prairie le cresson vert et l'herbe d'or.

«Et le gui de chêne, dans le bois, au bord de la fontaine.

«—Merlin! Merlin! revenez sur vos pas, laissez le gui au chêne.

«Et le cresson dans la prairie, comme aussi l'herbe d'or.

«Comme aussi l'oeuf du serpent marin parmi l'écume dans le creux du rocher...

«Merlin! Merlin! revenez sur vos pas; il n'y a de devin que...»

—Le Diable! acheva-t-elle avec un ricanement farouche. N'est-ce pas, ma mignonne, qu'il n'y a pas d'autre devin que le Diable?

Et Maharite tourna vers Constance sa face, dont la flamme jaillissante du foyer faisait, pour ainsi dire, flamboyer les abominables laideurs.

A cet aspect, la jeune fille se serra, en tremblant, au fond du lit.

—Ah! je te fais peur! je te fais peur, petite mijaurée, poursuivit la sorcière, avec des inflexions tour à tour railleuses et sinistres; je suis donc bien horrible! bien décidément horrible! Moi aussi j'ai été belle, pourtant, belle comme toi, plus que toi. Et toi aussi tu deviendras horrible, plus horrible que moi! Ah! je te vois pâlir, puis verdir comme la mousse qui tapisse ces rochers!

Ah! sur ton corps si frais, si parfumé, je vois grouiller des millions et des millions de vers gluants...

—Tais-toi! maudite! oh! tais-toi! ordonna Constance, sautant à terre.

—Pouah! continua la sorcière, avec un geste de dégoût, je sens l'odeur, rôdeur exécrable de tes chairs qui tombent en pourriture....

—Misérable! proféra la jeune fille, faisant un bond pour s'enfuir de la caverne.

Mais Maharite la retint par le pan de sa jupe.

—Arrête! mignonne! arrête! Entends-tu comme la mer gronde, comme le vent se lamente au dehors?... Où irais-tu? Non, ruste, reste ici. Je veux te faire belle, moi; plus belle que tu n'as jamais été, que tu ne seras jamais!

En prononçant ces paroles Maharite traînait la pauvre enfant effarée dans un couloir, dont elle éclaira les profondeurs avec une torche de résine.

Elle ouvrit un coffre en bois peint, et, pièce à pièce, en tira un coquet habillement de jeune mariée. Depuis le voile virginal jusqu'à l'anneau d'or, rien n'y manquait.

—Voyons, mignonne, mets bas cette cotte mouillée, disait-elle, en rangeant les objets sur le coffre.

Et comme, malgré son audace habituelle, Constance ne bougeait pas, Maharite, se hissant sur un banc, se prit à la dévêtir avec autant d'adresse que d'agilité. Mais, en la débarrassant de ses effets, elle s'extasiait sur les charmes de la jeune fille, et mêlait de prédictions lugubres, révoltantes, ses marques d'admiration.

Constance, éperdue, n'osait lui résister. Quelle que fût la fermeté, nous pourrions dire l'impudence qui lui était propre, tant d'impressions violentes et diverses avaient fondu sur elle, depuis le départ de Jacques Cartier, que sa volonté s'était amollie comme la corde d'un arc trop longtemps tendu.

Elle laissait faire et parler cette bizarre créature, qui, tout en lui passant la robe nuptiale, extraite du coffre, disait sur un ton rhythmé, mystérieux:

«Il y aura six ans, six ans vienne la Saint-Jean, la Saint-Jean prochaine.

«Dans le village, le joli village de Pordic, tout près, tout près de Tréguier.

«Vivait heureuse, vivait bien heureuse Maharite, Maharite, la femme du pêcheur Jugon.

«Mais Maharite était coquette, elle était trop coquette; et mal lui en prit, grand mal lui en prit.

«Son mari n'était pas pieux, pas pieux du tout; et mal lui en prit aussi, très-grand mal lui en prit.

«Le jour de la fête, de la fête de monsieur saint Jean, le mari de Maharite était allé à la pêche, dans son bateau; dans son grand bateau.

«Maharite la frivole, Maharite rencontra hors du logis un chevalier, un chevalier tout de vert habillé.

«Maharite la folle, Maharite écouta les paroles, les trop douces paroles du galant cavalier.

«C'était le démon, le beau démon, sorti des enfers pour la séduire, la séduire et la tromper.

«—Où vas-tu, Maharite? Maharite, où vas-tu?» demanda le prince, le prince damné des Enfers.

«—Cavalier, gentil cavalier, je vais, dit-elle, au feu que l'on allume sur le rocher, pour monsieur, le très-vénéré monsieur saint Jean.

«—Non, tu n'iras pas, tu n'iras pas à ce feu; mais viens avec moi, nous en allumerons ensemble un plus brûlant, bien plus brûlant.

«Laissez-moi, aimable cavalier; aimable cavalier, laissez-moi; je veux aller à la fête, à la fête sacrée.

«—Cette fête, douce Maharite, Maharite très-douce, nous la ferons dans mon château, dans mon riche château.

«—Monseigneur, je ne saurais, je ne saurais consentir; que dirait-on au village si je vous suivais dans votre château, votre riche château?

«—Viens, il y aura pour toi des coiffes en dentelle, en fine dentelle; et une robe, une jolie robe violette.

«—Y aura-t-il tout cela? Messire, y aura-t-il tout cela?» dit, en s'arrêtant, Maharite, l'imprudente Maharite.

«—Il y aura aussi, ma belle, de l'or, de l'or pour payer les redevances que vous devez à votre seigneur, votre très-redouté seigneur.»

«Notre seigneur, notre redouté seigneur était cruel, très-cruel pour ses vassaux.

«Son intendant, son intendant, aussi dur que lui, avait menacé Jugon de l'enfermer dans la tour, dans la tour épaisse du manoir.

«Maharite, la crédule Maharite, suivit, en hésitant, le cavalier, le perfide cavalier.

«Il la mena dans son château, dans son merveilleux château, où il lui fit boire des liqueurs, des liqueurs enivrantes.

«Maharite, ah! plaignez Maharite! s'endormit, et quand elle s'éveilla, elle était couchée, couchée à côté de LUI!

«Et le château était en feu, en feu flambant, et formait ce bûcher, ce magnifique bûcher que Satan avait dit.

«Sans mal, sans mal aucun Lucifer sortit de la fournaise, et Maharite, la désolée Maharite aurait voulu faire comme lui.

«Mais le plancher s'écroula, s'écroula sous ses pieds, et tomba Maharite dans les flammes, dans les flammes dévorantes.

«Où Maharite, la malheureuse Maharite, se rompit les reins et se brûla le visage, se brûla le visage au vif.

«Et, le lendemain, on apprit que Jugon, Jugon le pécheur, avait péri dans la mer, la mer sans fond.

«Et ainsi furent punis par monsieur saint Jean, le sévère monsieur saint Jean, Maharite, la très-coupable Maharite, et son mari.

«Et voilà l'histoire, la triste histoire de Maharite, Maharite la magicienne du roc Quince.»

Comme la sorcière terminait son goerz, d'une voix douce, qui n'était pas sans charme musical, elle achevait aussi la toilette de Constance. Peu à peu, la jeune fille s'était remise de sa stupeur. Elle prêtait une oreille attentive, presque complaisante, au chant de Maharite.

—Allons, mignonne, dit celle-ci en reprenant son ton sarcastique, après avoir fini; allons, à ton tour d'être l'amante et la dupe du roi des ténèbres! Regarde-moi, petite, regarde-moi et n'aie frayeur, car mon visage et mon corps t'annoncent ce qui t'attend!

Bien plutôt tâché de t'y accoutumer. Allons! tu es parée pour les noces, parée des effets de celle qui t'a précédée dans les bonnes grâces de Satan, cours te jeter entre ses bras! Je ne suis pas jalouse, moi; tiens, le voici! ajouta-t-elle avec un rire infernal, en s'enfuyant sur les pieds et sur les mains.

De nouveau, Constance se sentait troublée. La vue de cette femme, à demi folle, dont on discernait encore la grande jeunesse, à travers un honteux fouillis de plaies et de repoussantes infirmités, le récit nuageux qu'elle venait de faire de ses infortunes, le prestige indicible qui environnait alors les personnes soupçonnées de sorcellerie, mais surtout les dernières et cyniques paroles de Maharite, avaient ramené l'agitation, l'effroi dans l'âme de

Constance. Aussi ne put-elle réprimer un mouvement et un cri de terreur, lorsque, rentrant dans la première partie de la caverne, elle se trouva tout à coup devant Georges qui, avec son chapeau de feutre, ombragé d'un panache noir, son beau et sombre visage, tout son habillement en velours noir, sur lequel brillait une ceinture d'or, semblait l'incarnation même de cette divinité malfaisante à qui Dieu permettait, suivant les légendes du temps, de parcourir la terre pour y tenter les jeunes femmes et y corrompre les jeunes hommes.

—Déjà prête et toujours ravissante! fit-il avec un sourire vainqueur, mettant un genou eu terre et lui baisant galamment la main. Que ce costume de fiancée vous sied bien! continua-t-il, sans paraître remarquer l'émoi de la jeune fille. Enfin, ma plus aimée, je vais donc toucher au comble de mes voeux! Je pourrai te chérir, t'adorer le jour et la nuit, et nul ne s'opposera désormais à notre bonheur. Ah! si tu savais, ma Constance, tout ce que j'ai souffert depuis hier, tout ce que j'ai souffert tout à l'heure... Mais ne parlons plus de douleurs. Soyons, n'est-ce pas, tout entier à la félicité de nous voir, de nous aimer.

Et, comme elle ne répondait point:

—Serais-tu malade? continua-t-il d'un ton vibrant de passion. Non, cela ne se peut; dis-moi, ma douce, dis-moi que tu n'es pas malade, que tu es heureuse de notre réunion, de ce hasard inespéré qui va nous permettre de nous abandonner, sans contrainte, légitimement, aux impulsions de nos coeurs?

Se relevant, il l'entoura amoureusement de ses bras, en appuyant ses lèvres brûlantes contre les lèvres de la jeune fille.

—Mais que voulez-vous de moi? que vous proposez-vous, Georges? balbutia celle-ci frissonnante et rejetant son buste en arrière, pour se dérober aux caresses énervantes de son amant.

En ce moment, à l'entrée de la grotte, apparut le masque horriblement moqueur de la sorcière.

—Le Diable! c'est le Diable! Prends garde, jeune innocente! Je te le dis: songe au sort de Maharite et à l'enfer!

—Va-t'en, chienne! monstre! exécration de la terre! lui cria Georges, en frappant du pied avec autant de dépit que de fureur.

—Vois comme il me traite maintenant! C'est ainsi qu'il te traitera bientôt! et ce sera tant mieux! menaça encore Maharite, qui se sauva, en poussant un grand éclat de rire.

—Cette pauvre misérable a perdu la raison, reprit Georges, d'une voix qui voulait être badine. Mais, ajouta-t-il avec empressement, viens, viens, ma fiancée, l'autel nous attend.

—L'autel? Que voulez-vous dire?

—Quoi! vous n'avez pas compris? Cette robe, cet anneau, ce voile, ne vous ont-ils pas prévenue...?

—Mais, en vérité, je ne sais...

Le jeune homme fît un geste d'humeur.

—N'était-il donc point convenu que nous nous marierions aussitôt que votre tuteur serait parti? dit-il avec amertume. Ne m'aviez-vous pas promis que, le soir de ce jour, vous vous échapperiez pour venir, avec moi, à l'île de Césembre, où un bon cordelier nous unirait? Vous avez la mémoire bien courte, Constance! Pourtant, j'ai tenu ma parole, moi. Après vous avoir fait enlever, hier par mes gens, suivant votre désir, afin de n'être pas fiancée à un homme que vous détestez, j'ai eu le courage, et c'en a été un bien grand, croyez-le, de ne point, parce que vous l'avez voulu, troubler votre solitude dans cette maison abandonnée, où... Mais je m'en veux de ces reproches; pardonnez-les, pardonnez-moi, amie... C'est l'excès de mon attachement pour toi qui me rend jaloux, disputeur... tu m'excuses, n'est-ce pas?... Je me sentais si malheureux, si désespéré, tandis que tu étais à bord de ce navire... près de mon rival... J'appréhendais tant que Cartier n'eût encore la fantaisie de faire célébrer vos fiançailles par quelque chapelain... Il n'en a rien été... Oh! je le sais... Je m'étais transporté sur cette île pour épier... Ah! tu es bonne! et tu m'aimes, n'est-ce pas, Constance?... Mais parle donc! Serais-tu fâchée contre moi? Quel motif!... Si la Providence ne m'avait conduit ici, tu périssais... Oh! rien qu'à cette idée, je me sens glacé... Dis un mot... un seul qui me rassure... Qu'as-tu? Cette toilette, que j'avais fait disposer, à l'avance, ne te plairait-elle pas?... Est-ce que tu es indisposée contre moi?...

Georges avait prononcé ces mots de ce ton mouillé, insinuant, qui caractérise les ardeurs de la passion et pénètre, bon gré mal gré, le coeur de ceux qui l'ont allumée. Aussi, comme à un divin nectar. Constance s'enivrait-elle «aux paroles du séduisant jeune homme, aux magnétiques effluves de son amour. Les doutes, les craintes qui s'étaient élevés dans son esprit, se fondaient ainsi que les brumes du matin sous un rayon de soleil, et, palpitante, ravie, elle dit, en enveloppant Georges dans un regard voluptueux:

—Quoi, doux ami, ce vêtement...

—C'est ton vêtement nuptial, que j'avais fait faire et apporter ici où tu l'aurais mis, avant de nous rendre à Césembre, s'écria-t-il, en enlevant la jeune fille de terre et la pressant avec frénésie contre sa poitrine.

—Laissez-moi! oh! laisse-moi! disait-elle éperdue, abandonnant sa tête alanguie sur l'épaule de son amant.

Et lui:

—La tempête s'apaise; le vent a cessé de gronder; les flots rentrent dans leurs abîmes. Viens, viens, mon ange, mon idole, viens, sautons dans ma barque; rendons-nous à Césembre et soyons unis, heureux pour toujours!

Georges se précipitait, avec son précieux fardeau, hors de la grotte, lorsque le crépitement d'une vive arquebusade se fit entendre, à quelques pieds au-dessus d'eux, sur le plateau de la Conchée.

CHAPITRE V

GEORGES DE MAISONNEUVE

De tout temps, la Bretagne a été remarquée pour sa fidélité au culte des pratiques dévotieuses. Mais, souvent aussi, elle s'est distinguée par les troubles déplorables qui ont pris naissance dans son sein et jeté le discrédit sur ses habitants. Le brigandage lui-même y a, plus d'une fois, usurpé le droit de cité et commis des excès heureusement ignorés ailleurs. Sans redire les abominations de Gilles de Laval, maréchal de Retz (), non plus que les atrocités de Fontenelle, cent cinquante ans plus tard, ou, de nos jours, les horreurs de la chouannerie, il serait facile de montrer que, fréquemment, la Bretagne fut ravagée par des bandes de scélérats, agissant tantôt sous la bannière de la religion, tantôt sous l'étendard de la politique.

Nombreuses, terribles apparurent ces bandes vers le milieu du seizième siècle. Depuis là mort de la «bonne» duchesse Anne, celle que Louis XII appelait sa Brette moult amée, la province était en proie au fléau des guerres intestines. Et quelles guerres! Sous prétexte de reconnaître ou de ne pas reconnaître la souveraineté de la France, les grands seigneurs se livraient d'évêché à évêché, de ville à ville, de château à château à des luttes acharnées qui répandaient la ruine et le deuil dans toute la péninsule; luttes, ai-je dit, massacres, bien mieux j'aurais pu écrire. Car ils sont farouches, ils sont sauvages, quand la passion les enflamme, nos Bretons! Dans leurs rixes, dans leurs jeux, gare au Pen-Bas! cette arme nationale autrement redoutable que le sabre, la baïonnette ou même la crosse de fusil! Je vous laisse à penser s'il eut un rôle capital à cette époque de discorde. Le sang coula à torrents, et, sur les monceaux de cadavres entassés par le fanatisme, dans toute la vieille Armorique, on vit germer des hordes de bandits qui, prenant diverses dénominations, plus effroyables les unes que les autres, achevèrent de saccager le pays, d'y répandre la terreur avec la désolation.

Ces malfaiteurs étaient connus du peuple sous le nom générique de Soudards. Mais chaque troupe avait, en outre, sa désignation particulière. C'est ainsi que l'une d'elles, dont nous allons nous occuper, s'intitulait fièrement les Tondeux, et tâchait de justifier sa sinistre appellation par tous les excès imaginables, perpétrés sur ceux qui tombaient entre ses mains, mais les riches, les nobles et les prêtres principalement.

Après avoir semé la dévastation dans la Cornouaille et le pays de Tréguier, les Tondeux avaient pris, en , Saint-Malo et ses environs pour théâtre de leurs odieux exploits.

Redoutés, mystérieux, les Tondeurs obéissaient à un chef plus redouté, plus mystérieux encore. Personne ne le connaissait, mais tout le monde l'avait vu, ou le prétendait. Seulement, pour les uns c'était un géant, Magog; pour les autres un nain, un Poulpiquet; pour tous c'était un fils de Satan, sinon Satan lui-même. Pour tous? Non. Il y avait les sages, les esprits forts qui ne voulaient voir en lui qu'un possédé du démon. Sur le nombre et l'énormité de ses crimes, l'accord d'ailleurs était parfait. Aucune monstruosité dont il ne se fût rendu coupable. Il exerçait sur les femmes une fascination irrésistible; il était maître absolu des hommes. On le trouvait en vingt places différentes à la même heure, et nulle part. Ce don d'ubiquité il l'avait communiqué à ses gens. Vous pouviez être sûrs de les rencontrer là où vous ne les attendiez pas; et là où vous les cherchiez, ils n'étaient jamais. Des personnes qui se croyaient bien informées leur donnaient pour repaire les roches escarpées de la pointe de la Varde, à quelques milles est de Saint-Malo; mais des personnes, non moins bien informées, les logeaient dans les roches également escarpées de la pointe du Décollé, à l'ouest. S'il en était qui plaçaient leur retraite à l'anse de la Garde Guérin, il en était aussi qui la voulaient à l'anse du Val. Tout cela, supposition, simple conjecture, histoire de jaser. Les seuls faits certains, trop positifs, malheureusement, c'était l'existence des Tondeurs et leur présence dans l'évêché de Saint-Malo.

A la ville, comme à la campagne, l'on n'entendait parler que de robberies, pilleries, incendies, rapts, meurtres, viols. Aux Tondeurs rien n'était sacré. Ils dévalisaient les couvents, les églises, comme les maisons bourgeoises et les châteaux; ils détroussaient un opulent abbé sans plus de scrupules qu'un riche baron. Les sacrilèges n'avaient-ils pas poussé l'audace jusqu'à arrêter Sa Grandeur Monseigneur de Saint-Malo, revenant du dernier Chapitre qui s'était tenu à Rennes!

A leur poursuite, on dépêcha une grosse troupe de gens d'armes. Mais où les prendre? où les atteindre? Disparus, invisibles. La garde de la ville fut doublée, la consigne observée avec la dernière rigueur. Cela inutilement. Au dedans, comme au dehors des murs, les Tondeurs n'en continuaient pas moins leur tonte.

Malgré la vieille réputation de ses sentinelles canines, le havre de Saint-Malo perdit toute sécurité. Ou les trente-quatre dogues qui, de jour, couchaient au

Chenil de la Hollande, et, de nuit, avaient charge de protéger les navires contre les tentatives des voleurs, jouissaient d'un renom usurpé, où ils subissaient, eux aussi, le charme dont les Tondeurs disposaient pour dompter les humains. Depuis quelques mois, dans le port, ne mouillaient guère de navires qui échappassent à une agression nocturne et ne fussent mis à rançon.

Comment donc, par où les brigands pouvaient-ils entrer clandestinement, en bandes, souvent nombreuses, dans la ville et en sortir? Elle n'avait alors que trois portes, pourtant la ville—la Grande-Porte, la porte de Dinan, la porte de Bon-Secours,—et une poterne devant la Digue, par laquelle on communiquait avec Saint-Servan. Quant à la porte actuelle, Saint-Vincent, elle ne fut ouverte que plus tard. A cette époque, la muraille d'enceinte se prolongeait jusqu'au pont-levis du château, dont la mer baignait, de toutes parts, les fortes murailles.

Où donc, comment, on se le répétait, les Tondeurs pouvaient-ils envahir et quitter Saint-Malo, à leur bon plaisir?

Possédaient-ils des ailes? Peut-être le diable leur en avait prêté. Il est si pervers!

—Ah! l'incrédulité a beau dire, compère, si les scélérats n'étaient assistés de Belphégor...

—Belphégor! Belphégor! que parlez-vous de Belphégor, mon voisin? C'est Lucifer en personne qui leur commande. Ne vous souvient-il pas que je l'ai vu, avec le vieux Jean Morbihan, moi! C'était la nuit de la Sainte-Catherine passée, oh! j'ai la mémoire bonne, allez! Nous venions de souper, avec mes filles et le père Jean, chez mon gendre Jalobert. Tout à coup, en passant près du couvent des pieuses filles du Calvaire, j'entendis des cris perçants, puis des flammes brillèrent devant moi. C'étaient ces infâmes Soudards qui avaient mis le feu au couvent, et violentaient les vierges du Seigneur... Ah! ne me rappelez pas cette nuit, cette affreuse nuit, voisin!... Et leur chef, le chef des bandits, mais je le vois encore, avec son chapeau noir et sa plume noire!... Il était grand, voisin, plus grand que la croix du clocher de Saint-Aaron...

—Bien à l'encontre, compère, l'on m'avait assuré que sa taille ne dépassait pas celle d'un teus .

Pour dus, gnome.

—Raison de plus pour que ce soit Satan lui-même! N'a-t-il pas le pouvoir de prendre toutes les formes? Ah! mon voisin, mon voisin; depuis lors, mes filles en rêvent; elles osent me soutenir que c'est un galant cavalier... dans leurs rêves, entendons-nous.

—Voire, compère, c'est ce que déclare ma femme. Et, je vous le confesse, à l'oreille, je l'ai entendue, oui, ma femme Brigitte, l'appeler tout haut, alors qu'elle était couchée à mon côté!

Ces quelques mots de conversation résument les entretiens auxquels se livraient, à peu près soir et matin, les bons négociants de Saint-Malo, sous l'auvent des boutiques. Jugez par là du grossissement que les commères devaient donner aux objets de leurs transes. Les Tondeurs n'en prenaient pas plus soin, cela se comprend aisément, que des mesures de vigilance multipliées contre eux.

Mais ce que l'on ignorait à Saint-Malo, ce que l'on sut plus tard, trop tard, c'est que les brigands s'introduisaient dans la ville et s'en échappaient, à leur gré, par un égout. Cet égout débouchait dans la mer au nord-est. Là, une forte grille défendait son entrée.

Cette grille, aux barreaux très-épais, aux mailles serrées, paraissait scellée à demeure. Mais, en l'examinant de près, un observateur attentif eût fini par découvrir, dans la frette, un trou de serrure. La grille était une porte. La porte ouverte, vous vous trouviez dans un couloir ténébreux, visqueux, tapissé de conferves, rempli d'exhalaisons salines. Le flot le balayait, à haute marée. Après quelques pas dans la galerie souterraine, on se heurtait à une nouvelle porte. De fer plein celle-ci.

Seulement, elle ne joignait pas le sol, par en bas. Un espace d'un demi-pied environ permettait aux eaux de s'écouler, et empêchait qu'elle ne fût enfoncée quand la vague faisait effort à l'extérieur.

Supposez l'obstacle franchi et avancez d'une cinquantaine de toises. Vous rencontrerez une troisième grille, semblable à la première, puis un escalier. Et cet escalier, de vingt-cinq marches, vous conduira, en montant, à un regard. Le regard s'ouvre, comme le reste. Vous voici dans une petite pièce circulaire, éclairée parcimonieusement par un soupirail grillagé, la base d'une tour, suivant toutes probabilités.

C'est une tour, en effet. Elle existe encore, dans un état de réparation passable. On la peut voir et visiter, en la cour la Houssaye, où elle flanque tristement une grande et vieille maison, à quatre étages, aussi, mélancolique qu'elle, dans cette cour étroite, sombre, humide, que les rayons du soleil doivent n'échauffer jamais. Été comme hiver, il y fait froid au corps; il y fait aussi froid à l'âme, en toutes saisons.

La tour, cependant, ne manque pas d'une certaine légèreté. Elle a même des prétentions à l'élégance. On y remarque quelques traces de sculptures, d'assez bon goût. Mais bien que couronnée par un simulacre de mâchicoulis, bien qu'hexagone à son quatrième étage, ronde ensuite jusqu'à ses fondements, ce qui lui prête une figure originale, les galets bruts dont elle est bâtie la revêtent d'une physionomie maussade, presque lugubre.

Rares, au surplus, étroites comme des lucarnes, sont les fenêtres.

Au pied de l'édifice, et à son angle de mitoyenneté avec la maison, il y avait une porte basse, cintrée, qui se fermait au moyen d'un lourd battant, garni de plaques et de bandes de fer. Bouchée aujourd'hui, cette porte restait ordinairement close. La tour semblait abandonnée. Mais de la maison attenante on y communiquait par un panneau secret. Cette maison n'est plus maintenant telle qu'elle était alors.

Point d'habitants au rez-de-chaussée. Prudemment munies de barreaux, les fenêtres étaient encore fermées par des volets intérieurs. Au premier étage, de vastes salles, parfois brillamment éclairées, et ou les accords du biniou se mêlaient au bruissement des baisers, aux éclats de rire, au choc des verres. Souvent aussi ces salles étaient muettes. Des semaines entières se passaient sans qu'un hôte y parût.

Tour et maison appartenaient, en , à un charmant jeune homme, qui signait Georges de Maisonneuve. De quelle noble famille descendait-il, d'où venait-il? Problème. Georges était un joyeux compagnon, brave, hardi, robuste, riche, généreux. En fallait-il davantage pour lui assurer des succès dans le monde? Son extrait de naissance, qui se fut avisé de le lui demander? Il était Georges de Maisonneuve, bien vu, bien fêté, adoré des mamans, caressé des papas, guigné par les filles, chéri par les fils et par les frères. Ces témoignages de la considération publique valaient tous les titres. Au moyen de quel talisman les avait-il gagnés? Secret facile à pénétrer. Georges était brave, complaisant, séduisant, nous l'avons dit: il avait de l'or; il le prodiguait à pleines mains, depuis une année qu'il résidait à Saint-Malo, voilà le mot de l'énigme. Il se disait natif de l'Écosse, où s'était établie, au commencement du siècle sa famille, d'origine française, et où il possédait de grands biens. On l'avait généralement cru sur parole. Georges de Maisonneuve était, au reste, servi par des domestiques modèles, contre la fidélité desquels venaient échouer toutes les inquisitions de la curiosité ou du mauvais vouloir. Aux questions des indiscrets, ils répondaient avec la plus grande politesse, mais aussi avec la plus grande habileté et de façon à dérouter les conjectures. Aux insinuations des malveillants, ils haussaient les épaules ou faisaient adroitement l'éloge de leur maître.

Qu'il fût bon gentilhomme, de vieille souche ou n'en eût que l'habit et le masque, Georges de Maisonneuve s'acquittait fort bien de son emploi.

Constance et lui se rencontrèrent. Ils eurent désir l'un de l'autre. Chez la jeune fille, ce fut moins de l'amour peut-être qu'un vif sentiment, une attraction de sympathie. Chez lui, le vainqueur, le blasé, ce fut le besoin d'une sensation nouvelle, mêlé à je ne sais quel entraînement magnétique vers la mignonne et frêle créature.

Si Constance l'eût aimé de cet amour, tout flammes, tout brûlant, dont son coeur était le foyer, nul doute qu'elle ne se fût, sans qu'un voile de pudeur gazât son front, donnée à lui. Entre la contrainte et la satisfaction d'un appétit, Constance n'eût pas balancé. Le devoir lui était inconnu. Mais telle n'était pas la nature de son penchant pour Georges de Maisonneuve. Elle se plaisait dans sa présence, avait joie à ses flatteries, à ses caresses; et, s'ignorant elle-même, elle se disait: «Je l'aime; je n'aurai d'autre époux que lui.» C'était, d'ail leurs, sa première inclination. Constance n'avait jamais analysé ses impressions. Les ardeurs de son esprit, la vivacité de ses sens, elle les soupçonnait à peine.

Quant à Georges, bien plus que celle de l'âme, il recherchait la possession du corps. Quoique mentalement séduite, la jeune fille fit résistance. Il s'irrita, il s'emporta, et n'obtint pas davantage. Le mariage fut proposé. Mariage secret, cela va sans dire. «Demandez ma main à mon tuteur,» répondait Constance.—«Et ma famille qui est noble, hélas! et ma famille qui est puissamment riche!» objectait Georges.—«Attendez alors que maître Jacques ait repris la mer.»—«Pourquoi attendre? Ne veut-on pas vous fiancer avant son départ?»—«On ne me fiancera pas, je vous le promets; et le soir du jour où Cartier aura levé l'ancre, je jure de vous suivre à l'autel.»

On sait que Constance tint parole. Pour échapper aux fiançailles et s'épargner, en même temps, un refus dont la perspective ne laissait pas de la contrarier, à cause du trouble, des questions, des observations, des reproches que provoquerait ce refus, elle concerta avec Georges un enlèvement, qui réussit à leurs souhaits, comme nous l'avons vu.

N'eût été le déchaînement subit du kirk et le naufrage de Constance, ils se seraient mariés dans la nuit qui suivit le départ de Jacques Cartier. Tout avait été préparé à cet effet. Gagné par les largesses de Maisonneuve, un cordelier, du monastère établi, en , dans l'île de Césembre, avait promis sa bénédiction. Mais le hasard, l'éternel faiseur et défaiseur de projets, en disposa autrement, au moment même où Georges croyait pouvoir se féliciter du concours inattendu qu'il venait de lui offrir.

Lorsque le bruit de la mousqueterie se fit entendre sur la Grande-Conchée, Georges de Maisonneuve allait sauter dans un bateau amarré à l'est de l'écueil, entre deux roches.

—Qu'est cela, mon doux? fit Constance redevenue craintive; qu'y a...

Le reste de la phrase expira sur ses lèvres; et elle roula sur la grève près de Georges, qui tombait, frappé, comme elle, d'une balle égarée..

La jeune fille avait perdu connaissance.

Quand elle recouvra la raison, Constance était couchée en sa chambre de la maison de Cartier. On lui apprit qu'elle avait été blessée involontairement, dans une rencontre qui avait eu lieu sur la Grande-Conchée, entre des soldats de la garde de Saint-Malo et des pirates qu'on supposait être les Tondeux. Constance trembla en Songeant à Georges.

Un mot la rassura.

—Si c'étaient les Tondeux, on n'a pu en prendre aucun, ajouta dame Catherine qui lui donnait ces explications. Heureusement, ma chère fille, que les gardes sont arrivés à temps pour te délivrer; sans eux, Jésus-Sauveur! quel sort...

La pudibonde dame Catherine s'arrêta, honteuse d'en avoir trop dit.

—Aussitôt que tu seras relevée, mon enfant, continua-t-elle après une pause, nous irons rendre nos actions de grâces à Saint-Malo-du-Laurier; car c'est miracle que tu aies échappé à la tempête, puis aux brigands, puis à la mousqueterie de nos gardes.

—Mais quels gardes? interrogea Constance.

—Les gardes de la ville. Ils surveillaient, depuis plusieurs jours, paraît-il, les allées et venues de gens suspects, parmi lesquels se trouve, assure-t-on, un prétendu seigneur...

—Le sire de Maisonneuve, n'est-ce pas? interrompit Constance d'un ton calme.

—Lui-même, ma fille. Il n'était point avec eux, sans doute?

Et dame Catherine jetait sur Constance un coup d'oeil timide.

—Avec eux? où? fit celle-ci d'un air étonné.

—Mais, sur la roche?

—Je ne l'ai point vu. Du reste, je le connais à peine. En abordant à l'écueil, j'ai trouvé la cacou , qui m'a réchauffée et prêté des vêtements.

En Bretagne, l'on donnait ce nom aux juifs, aux excommuniés, aux parias de la société.

—Pauvre malheureuse! Il faudra la récompenser. C'est déplorable qu'elle soit possédée; n'était cela, nous la prendrions à la maison...

—Ah! gémit Constance, je sens une douleur au côté...

—C'est là que tu as été blessée, mon enfant. On t'a rapportée demi-morte. Par bonheur, un des gardes te connaissait... Mais, pendant plus d'un mois, tu as eu la fièvre chaude... La sage-femme n'osait répondre de tes jours... Et tu divaguais, mon enfant; tu divaguais!... Tu croyais voir le sire de Maisonneuve, tu l'appelais, ajouta-t-elle en rougissant...

—Vraiment! proféra la jeune fille du ton le plus innocent.

—C'est pourquoi, reprit Catherine, j'avais imaginé qu'il était avec les Soudards et qu'il t'avait arrachée à l'abîme...

—Quelle idée! fit Constance avec un geste de négation.

—Ah! chère fille, continua la, bonne dame, en l'embrassant tendrement, te voici rendue à toi, c'est l'essentiel. Béni soit le saint nom de ma bienheureuse patronne qui a exaucé mes voeux!...

—Mais toi, mère, comment es-tu sortie de la tourmente? demanda enfin Constance.

Moi, répondit-elle simplement, je dois la vie au Seigneur tout-puissant, à Colas, l'un de nos mariniers, qui m'a transportée sur l'île de Césembre, où les pères cordeliers nous ont donné tous les secours possibles.

—Quoi! vous avez été poussés sur Césembre, à près d'un mille de l'endroit où nous avions naufragé? dit Constance, souriant à la pensée que, sans l'attaque des gardes, dame Catherine aurait pu être témoin de son mariage avec Georges.

—Allons! assez, mon enfant! c'est trop causer, reprit la femme de Cartier, en bordant le lit; dors... On m'a recommandé pour toi le silence et le repos. Un autre jour nous nous conterons, par le menu, de quelle manière, avec l'aide de Dieu, nous avons été préservées de la mort.

La convalescence de la jeune fille commençait, car sa blessure, peu profonde, avait eu des suites moins sérieuses que la congestion cérébrale, déterminée en partie par la soudaineté et la violence des émotions qu'elle avait éprouvées. Mais d'abondantes saignées l'avaient fort affaiblie. Quatre mois après l'accident, elle ne pouvait encore sortir de sa chambre.

Loin d'altérer le sentiment qu'elle nourrissait pour Georges de Maisonneuve, le sombre mystère planant sur sa tête avait doublé l'intérêt que lui portait Constance. Ce mystère formait auréole au front du jeune homme. Elle s'irritait d'être confinée à la maison. Elle voulait le voir. Sa volonté était un ordre impérieux. En cachette, Manon, la vieille nourrice, se chargea de la commission.

Et, le septembre suivant, entre dix et onze heures du soir, par de profondes ténèbres, Constance, sa lumière éteinte, attachait au pilastre perpendiculaire qui séparait en deux compartiments la fenêtre de sa chambre, une échelle de soie.

La chambre était au premier étage; la fenêtre donnait sur la petite place, devant la douve du château.

CHAPITRE VI

LE TÊTE-A-TÊTE

L'air était calme. Il faisait une chaleur lourde, énervante. Point d'étoiles au ciel. Un manteau d'ébène. Quelques lueurs de phares, du côté de l'église Saint-Aaron et au donjon du château, seules, trouaient la nuit. Leur flamme vive, mais nette, sans épanouissement, la rendait plus noire encore.

Au pied des fortifications, la mer gémissait son long et solennel gémissement, que venait parfois déchirer une dissonance lugubre. C'était l'aboiement si lamentable d'un chien enfermé dans une cour. Paisible, d'ailleurs, paraissait la ville. Le sommeil y avait suspendu les agitations du jour.

Constance s'accouda à l'appui de la fenêtre, et, attentive, écouta. Bientôt, un pas furtif, imperceptible à tout autre qu'à une oreille aiguisée par l'amour, se fit entendre près de Saint-Thomas. Le coeur de Constance battit plus fort. Ses yeux se fixèrent dans la direction du son et fouillèrent l'ombre.

Une forme flottante s'estompe dans les ténèbres. Elle en brise l'unité. Elle s'avance. Elle est silhouette. Constance respire à peine. Sa main se pose sur son sein pour en comprimer les battements.

La silhouette s'arrête sous la fenêtre. Aussi légère que le frou-frou d'une aile d'oiseau, une tousserie part d'en-bas. Semblable note lui répond d'en haut. Ces signaux ont confirmé la divination de deux âmes. Constance est dans les bras de Georges.

Les questions jaillissent, se pressent, se multiplient encore, se contredisent, à travers l'effeuillement de mille baisers.

—Pas si haut! pas si haut, Georges! Ma mère repose dans la pièce voisine... dit tout à coup la jeune fille.

—Que m'importe! Enfin! je te retrouve! Ah! si tu savais! si tu savais. Constance! Mais oublions cela... oui, oublions, n'est-ce pas?... Oublions les heures mauvaises... Mais on dirait que tu as peur de moi... Pourquoi t'éloigner ainsi... Méchante!...

—Asseyez-vous, Georges, balbutia-t-elle, troublée, palpitante, et, en se dérobant à ces dangereuses ivresses; asseyez-vous, mon bien-aimé... Je vous en prie... Voudriez-vous me faire de la peine? Je suis souffrante, très-souffrante encore... ne l'oubliez pas. Sans cela, je ne vous eusse point fait venir ici...

—Oh! Constance...

—De grâce, laissez-moi parler! Ah! vous êtes gentil! vous voici assis!

—Eh bien! approche, approche tout près... et je t'écouterai...

—Non, messire, non. Je vais me placer vis à vis de vous, à la fenêtre...

Alors, je m'établis à tes pieds...

—Non...

—Je proteste, commença le jeune homme en faisant un mouvement vers Constance...

—Ah! dit celle-ci mélancoliquement, vous avez envie de m'affliger. Faut-il que déjà j'aie à me repentir de ma confiance en vous?

—Je jure...

—Asseyez-vous, je le répète, messire Georges, ou je vous quitte...

—Que votre volonté soit faite! fit-il d'un ton piqué.

Cependant il obéit. Mais si la chambre eût été éclairée, on eût pu voir Un sourire ironique plisser le coin de sa bouche.

—Ah! vous êtes bon; je vous aime ainsi! reprit Constance d'une voix pénétrée.

En prononçant ces mots, elle lui tendit une main, que Georges s'empressa de porter à ses lèvres.

Leurs yeux s'habituaient à l'obscurité. Si les traits du visage leur échappaient, le miroitement de la fenêtre permettait au moins de distinguer les gestes.

—Que de choses j'ai à vous dire, mon doux! continua Constance. Mais, d'abord, répondez franchement à mes demandes. Le voulez-vous?

—C'est donc bien grave! dit-il en badinant.

—Vous en pourrez juger, repartit la jeune fille avec un accent sérieux.

Puis, elle voulut retirer sa main. Mais, suivant, la coutume des Bretons amoureux, Georges de Maisonneuve saisit le petit doigt de cette main avec le sien, et lui en fit un anneau.

Constance poursuivit:

—Vous m'avez écrit que, grièvement blessé, en même temps que moi, vous étiez resté près de quatre mois alité. Mais vous avez oublié de me dire deux choses, Georges: pourquoi l'attaque, et comment vous avez échappé aux assaillants?

En posant ces points d'interrogation, la voix de la jeune fille ne tremblait pas. Elle était nette; précise, scandée presque. Et, dans la pénombre, les regards de Constance cherchaient avidement ceux de Georges.

—L'attaque, répondit-il, avec hésitation, mais ne vous l'ai-je pas dit? Ne vous a-t-on pas conté que les gardes de la ville?...

—Ils guettaient les Tondeurs; je sais!

—Eh bien?

—Eh bien, dit-elle hardiment, vous êtes leur chef!

—Moi!

—Ne niez pas, Georges. Je suis certaine de ce que j'avance. Vous êtes le chef des Tondeurs, de ces brigands...

—Mais, Constance...

—Rassurez-vous, je ne vous en aime pas moins. Qui sait? ajouta-t-elle d'un ton rêveur, peut-être vous en aimé-je plus!

—Quoi! il serait vrai! s'écria le jeune homme, en se glissant à ses genoux.

Tendrement, Constance lui prit la tête entre ses mains, et lui mit un baiser au front.

Sous cette caresse, Georges frissonna. Il se na à demi. Ses bras amoureux s'ouvrirent pour nouer une ceinture à la taille de la jeune fille. Mais d'un bond de panthère, évitant son étreinte, elle fut dans les ténèbres qui envahissaient le reste de la chambre.

Enflammé par les désirs, il fit mine de la suivre.

—Arrêtez, Georges! arrêtez! commanda impérieusement Constance.

Puis, d'une voix radoucie:

—Ne m'avez-vous pas promis d'avoir des égards pour ma faiblesse? Je vous en conjure, nez à votre place, et laissez-moi achever ce que j'ai à vous dire. Le veux-tu, ami? Là, soumets-toi à ma volonté, ce soir encore... Bientôt je serai tienne, ton épouse, ton esclave, tes ordres seront les miens; je ne penserai, je n'agirai plus que par toi; mais, à présent, écoute-moi, sans m'interrompre, jusqu'à la fin.

Cette prière avait été chantée avec une onctuosité d'un effet irrésistible. Georges se jeta sur son escabeau; par un mouvement plein de grâce féline, Constance s'accroupit à ses pieds.

Il y eut un moment de silence, troublé seulement par les battements précipités de leurs coeurs.

La jeune fille reprit, en inclinant mollement sa tête sur les genoux du jeune homme:

—J'avais deviné, Georges, que vous étiez le chef des Tondeurs. Loin de le trouver mauvais, j'en suis heureuse... oui, heureuse! Je vous admire et je vous aime, car j'aime tout ce qui est puissant, tout ce qui est fort, tout ce qui domine! Fi de ces esprits médiocres qui se traînent platement dans l'ornière commune! La vie n'est belle qu'agitée par les grandes émotions. Commander aux hommes et commander aux circonstances, les orages, là lutte, voilà mon rêve! C'est ce rêve, ô bien-aimé, que tu réalises! C'est sa réalisation qui me fait t'aimer; c'est elle qui m'a entraînée vers toi! C'est elle qui, jusqu'à mûri dernier souffle, m'attachera à ta fortune! Oui, fais tout trembler autour de toi; ébranle la terre et le ciel! Que, semblable à la voix du canon, le bruit de ton nom sème partout le respect ou l'épouvante, et mon amour montera à la hauteur de ta renommée!

Bien des femmes sans doute t'ont déjà comblé de leurs tendresses! Mais aucune ne t'a aimé comme je t'aime, comme je ne cesserai de t'aimer. Et fussé-je réservée à subir le sort de la pauvre Maharite, je me croirais trop payée d'avoir su un jour, une heure, une minute fixer tes regards sur moi!

—Maharite! s'écria Georges, mais qui vous a dit?...

—Qu'est-ce que cela te fait? Tu étais libre alors. Elle a été ta maîtresse, elle ne peut l'être désormais. Je ne suis pas jalouse, va! car si je l'étais!...

Et, frémissante d'exaltation, Constance se dressa debout, comme mue par un ressort.

—Et si tu étais jalouse? demanda en souriant le jeune homme, étonné et ravi tout à la fois par cette éruption de passion farouche.

—Si j'étais jalouse! repartit lentement la délicate créature, dont les dents crissèrent; si j'étais jalouse!... Oh! non, non! non, Georges! ne parle pas de cela!... N'en parle pas... Non, non...

Son agitation atteignit tout d'un coup à un tel paroxysme, que Georges en eut peur.

—Rassure-toi, dit-il, avec des inflexions caressantes, rassure-toi, chère adorée, si mon esprit a eu quelques échappées, jamais mon coeur ne s'est donné qu'à toi, à toi seule, entends-tu? Il n'a compris l'amour, il ne l'a senti, qu'en te voyant, en s'animant de ton haleine, en respirant la vie auprès de toi. Car, moi aussi, je t'aime! je t'aime d'un amour égal au tien. Et cet amour, il me maîtrise à ce point que, malgré ses emportements, je souscris à tous tes vouloirs. Pour t'obéir, j'étouffe ce volcan qui bout dans mon sein. Pour t'obéir, je me tiens froidement sur cette escabelle...

—Écoutez, Georges, interrompit avec vivacité Constance, qui s'était un peu remise; je veux être votre femme. Puisque vous y consentez, je la serai. Mais il faut nous bâter. Dans quelques jours, demain peut-être, reviendra maître Cartier. Si j'étais assez forte pour vous accompagner, je vous dirais: Partons sur-le-champ. Allons à Césembre et qu'un bon père cordelier consacre notre union. Mais ma santé exige encore une semaine de repos. Je le sens. Pendant ce temps-là, faites vos préparatifs, et après, oh! après, avec quelle félicité je m'abandonnerai à toi, à toi toujours, pour toujours!

En lui lançant cette exclamation de bonheur, la jeune fille tendit les bras pour se pendre à son cou; mais soudain, le tintement d'une clochette, suivi d'un cri monotone, funèbre comme celui de l'orfraie, l'arrêta court:

Réveillez-vous, gens qui dormez,

Priez Dieu pour les trépassés!

—Bast! c'est le vieux sonneur! fit Georges, souriant et profitant de l'émoi de Constance, pour l'attirer à lui.

Jusqu'en , il exista, dans plusieurs évêchés de la Bretagne, des espèces de gardiens chargés de parcourir, à minuit, les rues des villes, en réclamant des prières pour les morts. On les appelait sonneurs des âmes.

Fascinée, éperdue, enfiévrée de crainte, d'amour, Constance cédait.

De son souffle brûlant, comme une exhalaison de fournaise, Georges incendiait les dernières résistances de la jeune fille. Il l'emportait vaincue, anéantie, au plus profond de l'ombre, quand brusquement une main sèche, osseuse, crochue comme une griffe, s'implanta sur son épaule. En même temps, une voix chevrotante grinçait à son oreille:

—Halte-là, mon homme! Elle n'est pas encore ta femme!

Georges lâcha une interjection de surprise.

—C'est nourrice Manon; n'ayez crainte, mon doux! dit Constance, qui glissa comme une couleuvre entre ses bras, et revint en riant gaiement vers la fenêtre.

—Quoi! s'écria le jeune homme avec un accent de dépit, nous avions un témoin?...

—Oh! soyez tranquille, c'est un témoin aveugle et sourd: aveugle, puisqu'on ne peut se voir à deux pas dans cette chambre sans lumière; sourd, car la pauvre femme n'entendrait pas le canon d'alarme.

—Ah! Constance, reprit-il, en se rapprochant d'elle, vous ne m'aimez pas! Vous n'avez pas confiance en moi!

—Pas confiance! moi qui vous reçois ici... à cette heure!

—Oui, mais avec un tiers! au moins, fallait-il me dire que nous n'étions pas seuls, reprocha-t-il amèrement.

—Vous êtes injuste, Georges. Pouvais-je faire autrement? Nourrice couche avec moi dans cette pièce, et ma mère habite la pièce contiguë depuis le départ de maître Jacques. On est obligé de traverser sa chambre pour entrer dans la mienne. Croyez-vous que, sans cela, j'aurais exposé vos jours en vous faisant passer par la fenêtre? L'escalier du perron n'était-il pas plus commode et moins compromettant? Pour ce qui est de la bonne Manon, sa discrétion devrait vous être connue. N'est-ce pas elle qui a demandé à être notre intermédiaire? notre messager? N'est-ce pas elle qui nous a facilité ce rendez-vous, en m'apportant l'échelle de soie que vous lui aviez remise? Allons, messire, quittez cette méchante humeur qui me chagrine et ne vous sied pas!

Grâce à la mobilité de ses impressions. Constance avait, en un instant, reconquis l'empire d'elle-même. Mais ce n'était point là l'affaire de Georges de Maisonneuve! Le supplice de Tantale exaspérait autant son organisation qu'il mortifiait son amour-propre. Avoir difficilement fait naître l'occasion; s'être tour à tour échauffé le sang et glacé le cerveau; s'être fait de marbre quand on est de feu; puis avoir eu la possession à sa merci et la manquer! Georges était dépité, furieux.

Il se mit à fredonner je ne sais plus quel refrain populaire, en battant la mesure contre les vitraux de la fenêtre.

Leste, la jeune fille sauta sur l'escabeau qu'il avait quitté, et, gentiment, rusée déjà comme une jeune femme, coulant sa joue satinée contre celle de Georges:

—Vous m'en voulez donc terriblement, messire!

Elle savait bien ce qu'elle faisait, la câline. Professeur à nul autre pareil que l'amour. Par sa vertu, le vieillard retrouve la jeunesse, le jeune acquiert l'expérience de la maturité. Finesse, vaillance, beauté, vérité, mais aussi hypocrisie, lâcheté, laideur, mensonge, il enseigne tout, il donne toutes les qualités; tous les vices. En quelques leçons, ses élèves les plus naïfs sont maîtres passés.

Un double baiser fut le scel de paix. Mais le charme était rompu. Une sorte de bise avait, comme un vent coulis, soufflé sur cette torride atmosphère d'amour. Vainement, Constance employa-t-elle son arsenal de minauderies et de cajoleries féminines; vainement, Georges lui-même essaya-t-il de chasser de son esprit le ressentiment qui l'assiégeait; leurs efforts, à tous deux, n'aboutirent qu'à aviver le froid qui s'était élève entre leurs coeurs.

Enfin, ayant convenu de se revoir le jeudi de la semaine suivante, ils se séparèrent; lui sourdement irrité contre elle; elle, froissée, point satisfaite de lui.

Sans se servir de l'échelle, que Constance avait retirée dès qu'il avait été entré dans sa chambre, Georges sauta par la fenêtre.

Comme il tombait légèrement à terre, sur les pieds, des pas résonnèrent près du pont-levis du château. Le ciel s'était un peu éclairci. Si Georges fût resté là quelques secondes, il eût pu apercevoir deux hommes qui s'avançaient sur la petite place et entendre ce juron énergique:

—Terr i ben!

Mais Georges avait aussitôt disparu par une ruelle qui longeait le rempart.

Nous avons déjà dit que ces événements se passaient dans la nuit des - septembre .

CHAPITRE VII

En ce temps-là, au coin de la rue des Petits-Degrés et de la rue des Cordiers, il y avait, à Saint-Malo, une hôtellerie fort achalandée parmi les «pillottes, maistres, mariniers et compaignons de nefs.»

A une tige de fer, établie en potence au-dessus du rez-de-chaussée, se balançait l'enseigne ci-dessus, conservant des vestiges d'une enluminure jadis brillante, et dont les inscriptions, fraîchement refaites, n'avaient pas effacé tout à fait, sous leur couche de rouge sanglant, la teinte jaunâtre des lettres qu'elles avaient remplacées.

La représentation de «Monsieur saint Anthoine,» placé immédiatement sous l'annonce, pouvait, au besoin, figurer un moine quelconque. Mais l'esprit le mieux prévenu eût, avec la meilleure volonté du monde, hésité à ranger parmi les membres de la race porcine l'animal dont le saint personnage était flanqué.

Comme si cette plaque de tôle et ces indications eussent été insuffisantes pour attirer l'attention publique, une grosse touffe de gui était encore fixée à l'extrémité d'une perche horizontale, assujettie elle-même à la poutre angulaire du pignon.

La maison avait une seule entrée: cette entrée sur la rue des Petits-Degrés. Des châssis de toile écrue tamisaient la lumière à l'intérieur. Car, à cette époque, en Bretagne, comme dans beaucoup d'autres provinces françaises, il n'y avait que les habitations des riches et les monuments religieux ou civils qui se permissent le luxe des fenêtres à carreaux de verre.

L'hôtellerie comptait trois étages et un rez-de-chaussée. Les surplombs des trois étages allaient en augmentant. De sorte que le troisième touchait presque la façade de la maison qui lui faisait vis à vis de l'autre côté de la rue. De sorte encore que, du dernier étage de l'auberge, on pouvait aisément donner la main à une personne qui se serait trouvée au dernier étage de cette maison, laquelle était celle d'un cordier: métier en mauvaise odeur de réputation dans toute la Bretagne, exercé le plus souvent alors par les cacoux, c'est-à-dire les juifs, les excommuniés, les gens mal famés.

Une halle unique embrassait le rez-de-chaussée. Elle était vaste, peu close, mais chauffée en toutes saisons par une cyclopéenne cheminée, aux profondes embrasures, et au manteau tout enjolivé de dessins faits avec des oeufs d'oiseaux de mer. Pour meubles, des tables et des bancs, des bancs et des tables. Le tout grossièrement équarri, et reposant sur une aire inégale. Bossue ici, trouée là, formant hauts-fonds, chargée d'immondices, en dix places, bas-fonds, remplis d'eau graisseuse, nauséabonde, eu dix autres. J'oubliais l'indispensable lit-clos contre une paroi de la muraille, le vaisselier contre une autre, et, pour décors, des courges, des coloquintes desséchées sur la tablette de la cheminée et le couronnement du lit. Au plafond de la salle, enfumé comme celui d'une forge, ne manquaient pas—pantagruéliques festons,—les brunes flèches de lard, les chapelets de boudins, saucisses, légumes secs ou poissons fumés. Devant le feu de lande enfin, de dix heures du matin à huit heures du soir, tournait sans trêve ni merci une broche homérique, toujours chargée d'appétissantes pièces de viande, volaille ou gibier. Je ne parle ni des coquelles, ni des casseroles, ni des tourtières qui chantaient sur la braise.

Telle était, en gros, la salle commune du Cochon à Monsieur saint Anthoine, et vraiment une des meilleures tavernes de toute la Bretagne, au seizième siècle.

Elle était tenue par le père Clovis, un homme du pays haut, venu à Saint-Malo, à la suite de François Ier, en , et qui avait fait fortune en épousant la fille de l'ancien propriétaire de l'hôtellerie.

Comme Français, mons Clovis n'était guère aimé. Mais comme cuisinier, ah! dame, ça changeait! Sur toute la côte, de Pornic à Mont-Saint-Michel, on le tenait en haute estime. De même aux îles de la Manche, et dans les localités du littoral anglais.

Le septembre , vers sept heures de relevée, le père Clovis, alors âgé d'une cinquantaine d'années, trinquait avec quelques habitués, à l'une de ses tables, en causant du grand événement du jour.

Il s'agissait de la rentrée, dans le port, des deux navires partis en avril dernier, sous le commandement de maître Jacques Cartier, pour un voyage d'exploration à la «terre neuve.»

Et les commentaires allaient bon train, je vous promets!

—Sur ma part du paradis, j'étais certain qu'il échouerait! dit un gros négociant de la Grand'Rue.

—Qu'il échouerait! mais il n'a pas du tout échoué, monsieur Vordec! On assure qu'il a fait une grande découverte, maître Jacques! et qu'il rapporte, de l'or plein la cale de ses vaisseaux.

A ces paroles, un individu vêtu comme un pêcheur, qui sirotait silencieusement son vin-de-feu en un coin de la salle, tendit l'oreille.

—Ta! ta! ta! fit le commerçant avec une moue dédaigneuse.

—Par Notre-Dame d'Auray! c'est pure vérité, affirma un autre interlocuteur. Un des mariniers de maître Cartier m'a montré, ce soir, un lingot d'or....

—Du cuivre! interrompit le négociant.

—Je gage une bouteille de vin de Bourgogne que c'est de l'or!

—Bravo! appuya l'aubergiste. J'ai justement encore, dans ma cave, deux ou trois flacons de ce crû de , que tu connais, Lorimy!

—Votre vin est trop cher, papa Clovis; parlons plutôt une double pinte de cervoise, observa le négociant en hochant la tête.

—Ça va, tope-là, repartit Lorimy.

—Le vieux ladre! murmura l'aubergiste, en se levant pour aller tirer la cervoise.

—Mais, reprit M. Vordec, où est ce lingot d'or?

—Oh! bien, soyez tranquille. Tout à l'heure j'irai le quérir.

—Après tout, fit le commerçant, quand ce serait de l'or vrai, qui me prouvera qu'il a été rapporté de là-bas?

Cette réflexion, assez sensée d'ailleurs, déconcerta Lorimy.

—Le journal de bord, de maître Jacques, pourrait faire foi, insinua un troisième personnage.

—Peuh! on écrit ce que l'on veut dans un journal de bord. Le parchemin est bon enfant; il accepte tout ce qu'on lui donne. Au surplus, en admettant que maître Cartier ait trouvé quelques pépites aurifères, cela paiera-t-il les frais de l'expédition? Il est resté près de cinq mois absent, avec deux navires et soixante hommes d'équipage. Ça coûte. Les îles que, dit-il, il a explorées, mais nos nefs les avaient reconnues depuis longtemps! Ce n'était pas là l'homme pour un pareil voyage! Ah! si l'on m'en eût confié l'entreprise!... Mais il a renié sa patrie, lui. Il est l'ami des Français! Chez lui, on ne parle même plus bas-breton. C'est une indignité. Mais le bon Dieu le punira comme il mérite. Déjà sa fille, cette créature sans vergogne, qu'il a ramenée on ne sait d'où....

—La Constance! dit Lorimy avec un accent et un geste de mépris.

—Oui, cette dévergondée qui porte chaperon de velours, basquine et cotte de soie, comme une châtelaine, ni plus ni moins. Et qu'est-ce que c'est, je vous demande? quelque bâtarde que maître Jacques aura eue d'une sauvagesse... hé! hé! Je me souviens encore qu'à ce fameux voyage de , d'où elle est revenue avec lui, il était resté neuf mois absent... hé; hé!! neuf mois, vous comprenez!... Cette bonne pâte de Catherine Desgranches n'y a rien vu...

—Catherine Desgranches! min Gieu! qui est-ce qui parle de Catherine Desgranches, la femme à maître Jacques, da oui? cria à ce moment une rude voix au bout de la salle.

Chacun leva les yeux dans la direction du son, et cette exclamation sortit de toutes les bouches:

—Le père Jean!

—Jean Morbihan, en chair et en os, da oui; joie et prospérité à tout le monde, dit le vieux timonier, qui venait d'entrer dans la halle.

—Vous arrivez comme marée en carême, père Jean, reprit Lorimy, en lui montrant une place vide, à côté de lui, sur le banc. M. Vordec et moi nous avons engagé un pari. Vous pouvez le décider et vous nous aiderez à consommer l'enjeu. En attendant, lestez-vous d'un coup de cidre nouveau.

Disant cela, il lui présenta le pichet de faïence coloriée dont il se servait lui-même.

Le marin avala une longue gorgée et fit claquer sa langue contre son palais.

—Très-bien! très-bien; dit-il; ça vous fait un velours sur l'estomac. Maintenant, qu'y a-t-il pour vous obliger, mes gens?

—C'est M. Vordec qui me soutient que vous n'avez pas trouvé de l'or, dans votre navigation, répondit Lorimy.

—De l'or! repartit Morbihan, nous en avons tant et plus. A preuve!

Et il tira de sa poche un caillou tout rayé de paillettes, qui brillèrent comme des étincelles de feu, dans la demi-obscurité de la salle.

Le buveur solitaire prêtait la plus vive attention à cette scène.

Au même instant, le tavernier remonta de sa cave.

—Par la croix du Dieu vivant! je suis heureux de vous voir, compère Jean, dit-il en tendant sa main au timonier.

—Et moi, grommela celui-ci, je suis marri contre vous, Clovis, mon homme. Vous avez fait repeindre, en français, m'a-t-on dit, les écritures de votre enseigne. Ça ne me va pas! Parce que vous êtes du pays haut ce n'est pas une raison pour tâcher de nous imposer votre grimoire, et votre jargon, non da!

—Et vous refusez de me donner la main, compère Jean? dit le cabaretier, en plaçant un broc d'étain sur la table.

—Min Gieu, vous le mériteriez, Clovis!

—Vous ne savez pas qu'une ordonnance du parlement, siégeant à Rennes....

—Terr i ben! proféra le marin, jamais ordonnance du parlement ne m'obligera, moi, à baragouiner votre maudit langage!

—Ah! fit Lorimy, faut pas lui en vouloir. On a enjoint aux aubergistes de mettre, sous peine d'amende, en français: Par permission du Roy et du Parlement, au-dessus de leurs enseignes, et le barbouilleur du voisin Clovis a cru bien faire en changeant toutes les inscriptions.

—Le diable emporte le barbouilleur et les inscriptions! maugréa Jean Morbihan.

—Eh bien, reprit Lorimy se tournant vers le négociant, êtes-vous convaincu? est-ce de l'or?

—Quand je l'aurai essayé, je vous répondrai, dit celui-ci qui roulait avec lenteur le caillou entre ses doigts et l'examinait minutieusement.

—Buvons toujours notre cervoise! Clovis, versez-nous à boire!

L'hôtelier s'empressa de satisfaire ses pratiques.

—A la santé de maître Jacques! cria Jean Morbihan en se levant.

—Comment, à la santé de maître Jacques! objecta le négociant d'un air rechigné.

—Min Gieu, oui! je bois à la santé du capitaine Cartier, le plus intrépide, le plus illustre des marins bretons! répliqua fièrement notre timonier, en choquant son gobelet contre celui de Lorimy.

—Excusez-moi, je vais jusqu'à ma boutique essayer ce fragment de roche; vous me le confiez, n'est-ce pas? dit M. Vordec.

—Pourquoi pas? On vous connaît, vous! fit le père Jean, en haussant les épaules.

Et, quand le commerçant fut sorti, il continua:

—En voilà encore un que j'aimerais voir promener avec une ceinture de paille autour du corps , et qui crève de jalousie parce que nous avons eu l'honneur de découvrir un pays où il y a de l'or, en veux-tu, je t'en donne; des terres si fertiles que tout y pousse sans culture; du poisson, du gibier, que c'est une bénédiction... C'est là qu'on pourrait établir une fameuse hôtellerie, compère Clovis, da oui!

C'était une des punitions qu'en Bretagne on infligeait alors aux banqueroutiers.

—Vrai? s'exclama le tavernier..

—Mais, demanda Lorimy, y a-t-il du monde?

—Du monde! il y a des hommes tout nus.

—Tout nus! Et les femmes?

—Ouais! interjeta Morbihan, avec un geste narquois.

—Pas jolies, hein?

—Rouges comme le cuivre des chaudrons à Clovis! puis peinturées de la tête aux pieds comme un bateau de plaisance.

—Ah! reprit Lorimy, père Jean, vous devriez bien nous conter votre voyage.

—Si ça peut vous être agréable!

—Nous être agréable! dit l'hôtelier; allez-y, et je paie une bouteille de vin de derrière les fagots.

A cette offre, les yeux du vieux Morbihan rayonnèrent.

—Accepté, dit-il en vidant son pichet.

Divers consommateurs étaient arrivés dans la salle. Ils se groupèrent à la table du vieux timonier. Clovis alluma quelques chandelles de suif, baveuses, fichées dans des chandeliers, de fil de fer, en forme de tire-bouchon. Deux bouteilles tapissées de toiles d'araignée et cachetées de cire verte furent posées devant Morbihan, qui se mit à passer sa langue sur ses lèvres, tandis qu'on les débouchait.

C'était un homme d'une soixantaine d'années, dont le visage, aussi battu par la tempête que le cap du Talut, où il était né, dans l'évêché de Vannes, avait bruni et s'était parcheminé à l'influence du hâle et des émanations salines, comme celui d'une momie. Grand, mince, osseux, les fatigues de la mer ni l'âge n'avaient encore eu de prise sur lui. Il se tenait droit comme un mât, conservait une longue et abondante chevelure, à peine grisonnante, dont les mèches flottaient sur ses épaules et vergettaient ses joues tannées.

Morbihan portait, est-il besoin de le dire? l'accoutrement breton strictement national: chapeau de feutre grossier aux larges ailes retroussées, jaquette de drap gris, sans col, avec ganse verte et boutons de métal à la bordure du devant; veste bariolée à double rang de boutons; ceinture de cuir jaune; l'ample bragou-bras noué au genou, et les longs bas bleus à bandes rouges sur les coutures.

Au moral, Jean Morbihan était un excellent coeur, courageux, dur au travail, tenace, fidèle à ses affections plus qu'à ses antipathies. On ne lui connaissait qu'une incurable haine: sa gallophohie. Quoiqu'il ne parlât pas le français, il l'entendait cependant. Et cependant aussi, par une de ces contradictions si bizarres auxquelles est sujette la nature humaine, c'était en français que le vieux marin prononçait ses exclamations favorites: Oui da, non da, et min Gieu pour mon Dieu.

—Allons, compère Jean, dégustez-moi ça et filez votre câble en douceur, nous vous écoutons, dit l'hôtelier, après avoir rempli les gobelets.

—Tout le monde est il paré? interrogea le marin.

—Oui, oui; allez!

Jean Morbihan vida son gobelet d'un trait et murmura.

—Min Gieu, ça sent encore le pays du haut, ce vin! J'aimerais bien mieux un coup de gwin ardant.

Néanmoins, il remplit de nouveau son gobelet ingurgita une nouvelle rasade, et commença en ces termes:

«Vous vous souvenez du vingtième d'avril dernier, mes gens. C'est ce jour-là que nous avons levé l'ancre, après que ce faraud d'amiral français nous a eu passés en revue. Il voulait me faire prêter le serment à son roi. Mais va-t'en voir! Bon! nous débouquons du havre. Notre bourgeoise, dame Catherine, et la fi-fille à maître Jacques nous avaient quittés à deux ou trois milles des Haies de la Conchée; et nos navires marchaient de conserve comme deux frères jumeaux, lorsque, vlan! un coup de ce démon de kirk nous prend en poupe et nous jette brusquement hors du golfe. En arrivant dans la Manche, nous n'avions pas une empointure de voile dehors. Mais, le vent ayant molli, on mit toute la toile en l'air. La brise continua d'être favorable, si bien que, le mai, nous touchâmes la Terre-Neuve, par le cap de Bonne-Vue. Mais il y avait là des glaces, des glaces, mes gars, hautes comme le donjon du château, et grosses, quand je vous dirai, dix fois, vingt fois, cent fois plus grosses que la tour Qui-Qu'en-Groigne!»

—Vraiment! fit Lorimy émerveillé.

—Da oui! appuya le vieux Jean.

«De façon, continua-t-il, que, ne pouvant débarquer là, nous entrâmes dans un port voisin, que maître Jacques nomma Sainte-Catherine, en l'honneur de la sainte patronne de son épouse.

«Dans ce port, nous appareillâmes nos barques, et, au bout de dix jours, fîmes voile, ayant vent d'ouest et tirant au nord, vers une île, tellement couverte d'oiseaux, gros comme des poulets, qu'on aurait dit qu'ils y étaient semés. Min Gieu! il y en avait, il y en avait et il y en avait encore! En moins de demi-heure, nos barques en furent chargées comme l'on aurait pu faire de galets.»

—Ces oiseaux sont bons à manger? interrogea l'hôtelier?

—Si bons que, en chaque navire, nous en fîmes saler quatre ou cinq tonneaux, sans compter ceux que nous mangeâmes frais; da oui!.

—Quelle aubaine!

—«Eh! eh! tout n'est pas rose. Dans cette île, il y a des ours grands comme la vache au compère Clovis et blancs comme cygnes. Ils viennent s'y repaître des oiseaux. Et le lendemain de Pâques, qui était en mai, nous en prîmes un, mais non sans peine et sans courir risque d'en être dévorés. Ce fut nous qui le dévorâmes. Sa chair était aussi délicate que celle d'un bouveau. Qui se serait imaginé ça?

«Montant toujours vers le nord, nous rencontrâmes un golfe, dont les côtes escarpées figuraient des fortifications. On l'appela golfe des Châteaux . Les glaces nous retinrent quelque temps dans ces parages, puis nous nous élevâmes dans le golfe, très-resserré, et reconnûmes plusieurs ports et îlots, inclinant ensuite à l'ouest, nous doublâmes un si grand nombre d'îles qu'il est impossible de les compter.»

Aujourd'hui le détroit, de Belle-Isle, qui sépare le Labrador de Terreneuve.

—Étaient-elles habitées? demanda un auditeur.

—«Habitées, pourquoi pas? Est-ce que le bon Gieu n'a pas mis des habitants sur toute la terre? Le lendemain de Saint-Barnabe, ayant quitté le port de Brest dans ledit golfe, nous pénétrâmes en un autre havre ou nous plantâmes une croix et qui fut appelé Saint-Servain, un autre Saint-Jacques, un autre Jacques Cartier; enfin, nous atterrîmes en l'île de Blanc-Sablon. Ces terres sont nues, pelées, il n'y a autre chose que mousse et petites épines. Cependant on y voit des hommes de belle taille et grandeur, mais indomptés et sauvages. Ils ont les cheveux liés au-dessus de la tête et étreints comme une poignée de foin, y mettant au travers un petit bois ou autre chose au lieu de clou; et ils y lient ensemble quelques plumes d'oiseaux.»

—Et ils sont nus? dit Lorimy.

—«L'été, da oui; à l'exception d'un petit jupon d'écorce à la ceinture. Mais l'hiver ils se couvrent avec des peaux de bêtes.»

—Des peaux de bêtes! Seigneur Jésus! doivent-ils être laids! s'écria la femme du cabaretier, qui était venue, sur la pointe des pieds, grossir l'assistance.

—Est-ce que vous n'avez pas la gorge sèche, compère? demanda l'hôtelier.

—Tout de même, répondit Morbihan, en tendant son gobelet.

Il reprit, après avoir sablé une notable quantité de la liqueur généreuse:

—«Oui, dame Clovis, ils sont hideux, car ils se peignent tout le corps, avec des couleurs rouges! On vous en fera voir, au surplus; nous en avons ramené deux, da oui!»

—Fi! les horreurs! est-ce qu'ils ne mangent point les chrétiens?

—«Je ne pense pas; mais ils se nourrissent de loups marins qu'ils chassent avec leurs bateaux faits d'écorce d'arbre de bouleau. Demain, je pourrai vous en montrer un que nous avons rapporté.»

—Mais leurs femmes? hasarda curieusement l'hôtesse.

—«Eh! eh! dit en souriant le vieux Jean, elles ne sont pas belles, da non! mais il y en a d'avenantes, de bien avenantes, et si j'avais été un brin plus jeune...»

—Voulez-vous vous taire, libertin! dit dame Clovis en le menaçant du doigt.

—«Je reviens à notre voyage. Après avoir parcouru avec nos barques la côte septentrionale et les îles du golfe, nous nâmes aux navires, mouillés dans le port de Brest. Le juin, nous en partîmes, prîmes chemin vers le sud, et découvrîmes de nombreuses îles, comme celles de Saint-Jean, de Margaux, de Brion. Ces îles sont de meilleure terre que nous eussions oncques vues, pleines de grands arbres, prairies, froment sauvage, pois qui étaient fleuris et semblaient avoir été semés par des laboureurs. L'on y voyait aussi des raisins ayant la fleur blanche dessus, des fraises rose incarnat, persil et autres herbes de bonne et forte odeur.»

—Et les animaux? s'enquit l'aubergiste.

—«Oh! tant qu'on en voulait. Il y avait de grands boeufs, qui ont deux dents dans la bouche comme un éléphant et vivent même en la mer, et des ours, et des loups, et des cerfs, lièvres, lapins, perdrix et canards...»

—Quels festins vous deviez faire! interrompit l'hôtelier, la bouche demi-ouverte et les yeux voluptueusement levés au plafond.

—«Des festins! Êtes-vous fou, compère? Ne connaissez-vous pas maître Jacques Cartier? Ne savez-vous pas qu'il est non-seulement brave, habile, vigilant, opiniâtre en ses projets, mais qu'il pousse encore la tempérance jusqu'à l'excès? On vivait dans l'abondance, et mal à bord. D'ailleurs, on n'avait pas le temps de bien vivre. Nous n'avions pas même embarqué un queux. Les hommes de l'équipage faisaient la cuisine à tour de rôle.»

—Peuh! quelle gargote! siffla le maître d'hôtel, d'un air stupéfait.

Jean Morbihan poursuivit:

«Nous fûmes plusieurs semaines à explorer ce golfe. Moi, j'avais idée que la terre neuve était une île (comme on l'avait dit au capitaine, en ... ce Normand que nous trouvâmes là-bas..... Je vous ai conté ça, dans le temps); mais le capitaine n'en était pas sûr. Le juin, ayant mis le cap au sud-ouest, nous embouquâmes dans un grand fleuve qu'on nomma Fleuve-des-Barques, à cause de quelques barques d'hommes sauvages qui le traversaient. Le pays est beau, bien boisé et paraît très-fertile. Dans les premiers jours de juillet, comme nos navires élongeaient la côte, nous fûmes rencontrés par quarante ou cinquante bateaux d'hommes sauvages, dont, par quelque crainte que nous en eûmes, il fallut se débarrasser, en lâchant deux passe-volants sur eux. Ils en prirent si grande épouvante qu'ils s'enfuirent, comme si le diable eût été à leurs trousses.»

—Ils n'ont donc pas d'armes à feu? demanda Lorimy.

—«Des armes à feu! répéta le père Jean, que nenni!

Ils ne se servent que d'arcs, de flèches, de massues et de haches de pierre. Le lendemain et jours suivants, nous trafiquâmes avec eux. Ils nous baillèrent de magnifiques peaux pour de méchants couteaux, des mitaines , des clous ou autres ferrements, et je vous assure, nos hommes, que nous ne perdîmes pas aux échanges! Ce commerce leur plaisait tant qu'ils nous donnaient tout ce qu'ils avaient pour des bagatelles, si bien qu'ils s'en naient chez eux nus comme des petits saint Jean. Peu de jours après, on louvoya dans un golfe où il faisait si chaud, si chaud que le brai fondait sur les ponts. Ce golfe fut nommé golfe de la Chaleur.»

—Voyez-vous ça? dit la femme de l'hôte.

—«Vers le juillet, reprit Morbihan, nous cinglâmes au nord-ouest, et nous eûmes à essuyer un vrai vent impérial. Le nous aperçûmes des gens qui pêchaient des tombes. Ils étaient tout nus, hormis un lambeau de pelleterie dont ils se couvrent les hanches. Ce sont de vrais sauvages. Ils mangent la viande presque crue. Cependant, ils nous firent mille amitiés. Et leurs femmes se mirent à caresser notre capitaine, qui pour se les affectionner davantage offrit à chacune d'elles une clochette d'étain.»

Hachettes, selon Hakluyt.

Maquereaux

—Comment! comment! les ribaudes...... commença l'hôtesse indignée.

—«Da oui! répliqua en riant le vieux Morbihan; elles le caressèrent à la façon de leur pays, c'est-à-dire en le touchant et le frottant avec les doigts.»

—Et elles étaient nues?

—Comme ça, la mère, fit le marin, en étalant sa main ouverte sur la table.

Une explosion d'hilarité eut lieu dans l'auditoire.

—Mais, demanda Lorimy, l'or, l'or où l'avez-vous trouvé?

—Ne soyez pas aussi pressé, mon camarade, j'y arrive.

«Le juillet on planta dans ce lieu une croix haute de trente pieds, au milieu de laquelle on cloua un écusson, relevé avec trois fleurs de lis, et dessus était écrit en grosses lettres, entaillées dans du bois.....»

La baie de Gaspé. Récemment on y a découvert plusieurs mines d'or.

Morbihan s'arrêta, en fronçant les sourcils et grommelant entre ses dents.

Qu'avez-vous? lui demandèrent les auditeurs. Il frappa du poing sur la table et s'écria d'un ton irrité:

—Terr i ben! mes hommes, Jean Morbihan n'y était pas, je vous le jure! Le capitaine a eu beau dire, beau faire, Jean Morbihan n'a pas assisté à cette cérémonie.

Des Bretons prendre possession d'un pays qu'ils viennent de découvrir, au nom d'un roi de France! non, non! jamais! Le vieux Morbihan n'a pas vu dresser cette croix, où était écrit: VIVE LE ROI DE FRANCE. Il ne l'a pas saluée; il ne la saluera jamais! terr i ben!

Il y eut un moment de calme plat.

—A boire! reprit tout à coup le marin, en essuyant, du revers de la main, une grosse larme qui roulait sur sa joue basanée.

L'hôtelier lui remplit son gobelet et lestement Jean en absorba le contenu.

—Mais que faisiez-vous donc, pendant qu'on élevait cette croix? questionna Lorimy.

—«Ah! ah! répondit vivement le timonier, je ne perdais pas mon temps, moi, da non! Je rôdais dans la campagne, min Gieu, oui! et je trouvais ça, ajouta-t-il en sortant de son bragou-bras un nouveau caillou, veiné de jaune. Oui, je trouvais ça et bien d'autres comme lui! On en remplit plusieurs barriques. Ça valait-il pas mieux que d'ériger des croix pour les Français, hein!»

Tous les assistants firent à l'envi des signes d'assentiment.

—«C'est comme ça, mes gens! acheva triomphalement Morbihan. Quand nous eûmes ramassé de ces pierres d'or, en suffisance, maître Jacques reconnut encore l'embouchure d'un grand fleuve . Mais il avait hâte de revenir et, le août, jour de l'Assomption, après avoir oui la messe, nous démarrâmes de Blanc-Sablon pour Saint-Malo, où, avec l'aide de Dieu, nous avons débarqué, en bonne santé, la nuit passée.»

A son deuxième voyage, Cartier, comme on le verra plus loin, nomma ce fleuve Saint-Laurent.

—C'est merveilleux, pour le certain, dit Lorimy. Et vous n'avez pas eu d'accident?

—Pas un seul, mon camarade, pas un seul, hormis deux bourrasques, l'une en partant d'ici, l'autre en y revenant, da oui!

Comme il prononçait ces mots, la porte de l'auberge s'ouvrit et le négociant Vordec reparut.

Il criait en agitant le caillou dans sa main:

—Morbleu! j'ai perdu! C'est de l'or, au meilleur titre.

Aussitôt l'homme qui buvait isolé, en un coin, sortit furtivement du cabaret, mais avec une précipitation telle qu'il oublia de payer sa consommation.

CHAPITRE VIII

LES TONDEURS

D'un pied leste, notre homme franchit les marches branlantes des escaliers qui entrecoupaient la rue des Petits-Degrés. Puis, il tourna à droite, enfila la rue de la Boucherie, traversa le parvis de la cathédrale, et, par une ruelle sombre, si étroite que deux personnes eussent eu de la peine à passer de front, il arriva dans la cour dont nous avons précédemment parlé.

Elle était illuminée avec un éblouissant éclat. Le seigneur de Maisonneuve donnait à ses amis une fête, avant de partir pour un voyage lointain. Tout en ruisselant par les fenêtres de l'hôtel dans la cour, les rayons de cent bougies éclairaient, dans la grande salle du premier étage, un banquet aussi splendide par la rareté et la variété des mets que par leur délicatesse.

Cette salle était tendue de tapisseries de haute lisse. Au milieu se dressait la table, oblongue. Elle ployait sous les cristaux, la vaisselle plate et les riches pièces d'or ou de vermeil merveilleusement ciselées.

Le linge, ouvré, damassé, de Flandre, avait une blancheur et une finesse idéales. Les serviettes des convives étaient parfumées avec des sachets, dont l'odeur mariée à celle des corbeilles de fleurs et de fruits de toute provenance, disposées avec goût sur la table, et des cassolettes d'encens, qui brûlaient sur des consoles embaumait la vaste salle.

Pour ce festin, digne de Lucullus, les quatre éléments avaient été largement mis à contribution. La terre avait fourni ses viandes les plus succulentes, ses vins les plus exquis; l'onde, ses poissons les plus fins; l'air, ses plus friands volatiles, le feu, ses chaleurs les plus ardentes et les plus douces.

Le spectacle était réjouissant au possible. Et pour comble de raffinement, une musique invisible, délicieuse, ne cessait de jouer.

Baignés de lumière, plongés dans une atmosphère enivrante, servis par douze belles jeunes femmes très-légèrement vêtues d'étoffes transparentes, sollicités par toutes les séductions des sens, les douze convives n'avaient, à travers cette profusion de plats inouïe, que l'embarras du choix.

Contrairement à la mode bretonne, l'on s'était mis à table à cinq heures. Mais cela n'avait rien de surprenant, Georges de Maisonneuve ne faisant rien comme les autres.

On en était au dessert, composé de fruits indigènes et exotiques, fruits mûrs, fruits secs, fruits à l'eau-de-vie, gâteaux, échaudés, biscuits, massepains, confitures de Verdun, cotignacs de Tours, gelées, pâtes, crèmes, sorbets et liqueurs. La gaieté bruyante, l'ivresse enflammaient les visages, éclataient dans les bouches. L'amphitryon se leva, et tenant haut un hanap, rempli de rosoglio de Zara, il s'écria:

—Au moment de me séparer de vous pour quelque temps, mes aimables compagnons de plaisirs, mes joyeux amis, je bois à votre santé, à la multiplicité, à la diversité de nos folles amours!

—Malo! Malo! pour Georges! et rubis sur l'ongle, ripostèrent ses hôtes, avec des cris assourdissants.

Ou sait que ce cri breton répond à notre; Vive! vive!

Armés de coupes, pleines jusqu'aux bords, les bras s'allongèrent vers la centre de la table, formant, au-dessus, comme un faisceau de manches et de manchettes bouffantes; un harmonieux cliquetis de cristal et d'argent se fit entendre, et, d'un trait, chacun vida sa coupe.

C'était le signal de la fin du repas, mais le commencement de la débauche. Elle allait allumer ses feux impurs.

En ce moment, neuf heures sonnèrent à une belle horloge padouane, accrochée à l'un des lambris de la salle.

—Mes amis, dit Georges, vous connaissez notre devise: «Liberté en tout et pour tous.» Une affaire m'appelle au dehors. Mais disposez de la maison et de ce qu'elle renferme comme de biens à vous appartenant.

Écartant alors la portière d'une pièce contiguë, il disparut.

—Il va sans doute encore à quelque rendez-vous d'amour! est-il heureux! murmura l'un des convives.

—Qu'est-ce que cela te fait! s'écria son voisin; n'avons-nous pas, pour nous distraire, ces voluptueuses houris qu'il a fait venir je ne sais d'où, mais dont la complaisance ne saurait, mon cher, nous faire défaut. Quelle fête! Quel homme que ce Maisonneuve! Quel beau rôle il eut joue sous les derniers empereurs romains! N'est-ce pas, mon ange? continua-t-il, en faisant ployer sous son bras la taille souple de la jeune fille qui l'avait servi, et dont il rougit l'épaule nue par un baiser.

Des bravos enthousiastes, furieux, couronnèrent ce début de l'orgie.

Pendant qu'ils retentissaient, Georges de Maisonneuve traversait une chambre à coucher somptueusement meublée. De là, il passait dans un cabinet de travail tort élégant, dont une grande bibliothèque sculptée occupait tout un côté. Elle se composait de deux compartiments: l'un, supérieur, vitré, laissait voir sur ses rayons ces admirables reliures qui furent une des gloires du seizième siècle; l'autre, inférieur, était fermé par deux vantaux de chêne plein.

Georges ouvrit ce deuxième compartiment. Il était rempli par des in-folios énormes. Le jeune homme en retira quelques-uns et pressa un bouton imperceptible, dans le fond de la bibliothèque. Le panneau glissa, démasquant une ouverture de quelques pieds carrés. Georges se coula à travers cette ouverture; puis il étendit le bras, remit les volumes à leur place, et fit jouer un nouveau ressort secret, qui referma, tout à la fois, les vantaux extérieurs de la bibliothèque et le panneau intérieur.

Alors il battit le briquet et alluma une petite lanterne sourde, posée à terre. Georges était dans un couloir resserré faisant sur l'appartement qu'il avait quitté. Il s'avança d'une vingtaine de pas environ. La galerie était toujours la même, sombre, haute, étroite.

Georges s'arrêta, colla son oreille à l'orifice d'un cornet acoustique, habilement dissimulé.

—Bon, murmura-t-il, après avoir écouté un instant; bon, mes lurons chantent et s'ébaudissent avec les ribaudes que j'ai fait venir de Rennes; tout à l'heure, je leur ferai danser la grande danse!

Ayant souri à cette idée, Georges poursuivit son chemin. Quelques pas plus loin, la muraille nue se dressa devant lui. Une corde pendait libre du plafond. Maisonneuve mit sa lanterne dans ses dents, s'accrocha à cette corde et grimpa. Parvenu au point de suspension, il heurta de la tête le plafond qui s'ouvrit. Avec la légèreté d'un chat, Georges s'élança dans l'entrebâillement. Un moment après, il se trouvait dans une vaste pièce qu'on eût pu prendre pour le vestiaire de l'univers. Habillements, équipements, armes, il y en avait pour tous les métiers, pour toutes les nations. On y voyait même quelques costumes africains et asiatiques ou d'origines complètement inconnues.

Ce n'est pas tout. Sur une table longue, une innombrable quantité de pots, fioles, flacons, renfermant des couleurs, des essences, des parfumeries, des fards, depuis l'antique sulfure d'antimoine, jusqu'à la cochenille et à l'orcanette, annonçaient que, dans cette chambre, on pouvait se travestir de la tête aux pieds. Jamais arsenal de coquette ne fut aussi complet. Car les perruques, les coiffures de nuances, de formes diverses ne manquaient pas non plus. Le maquillage moderne y eût été pris d'envie.

Georges portait toute sa barbe. Il se rasa. Ensuite il se débarrassa de son vêtement d'apparat, pour endosser l'accoutrement des gardes du port de Saint-Malo, sur un halecret, à l'épreuve de la balle; mais en se travestissant et se grimant, avec une perfection telle, que nul, même parmi ceux qui le fréquentaient habituellement, ne l'eût reconnu, sa toilette terminée.

Maisonneuve aussitôt tira deux forts verrous et ouvrit une porte. Il entra dans une chambre de médiocre dimension qui devait appartenir à la tour.

Assis devant une table dans cette chambre, un homme nettoyait la batterie d'une arme récemment inventée à Pistoia, en Toscane, ce qui lui valut d'abord le nom de pistole, puis de pistolet.

Cet homme était le pêcheur que nous avons entrevu à l'auberge de Monsieur Saint Anthoine. Seulement, il avait, lui aussi, opéré une métamorphose, en s'affublant des haillons d'un pillawer, sorte de chiffonnier breton.

—Eh bien, Eric? demanda Georges, en refermant avec précaution la porte sur lui.

—Eh bien, marquis, tu peux te vanter d'avoir du flair! Mais quelle raffinerie dans ton déguisement! Tu es méconnaissable. N'était le son de ta voix...

—Cartier a rapporté des tonnes d'or, n'est-ce pas? interrompit Maisonneuve d'un ton brusque.

—Oui, des tonnes, répéta Eric, en se frottant les mains. Voilà prêt ce grand coup que nous attendions tous les deux!

—Allons, conte-moi ça, dit Georges, qui s'assit négligemment sur le bord de la table.

—C'est simple comme bonjour, marquis. Ce matin, le bruit court en ville que l'expédition de Cartier est revenue avec des monceaux d'or. Tu me l'apprends. Je m'habille en pêcheur, je vole aux informations. Les vaisseaux de Cartier étaient effectivement arrivés, durant la nuit, en vue de Saint-Malo. Ils avaient mouillé hors du havre, à l'île Harbourg. Mais, quand je montai sur le rempart, les deux brigs entraient dans la Petite Rade. L'un avait le cap sur Saint-Servain , où probablement il doit être radoubé; et l'autre venait jeter l'ancré devant Saint-Malo, sous le môle. C'était justement celui de Cartier. Je le reconnus bien, car il portait le pavillon de commandement. Dès qu'il fut amarré, je descendis sur la plage. Adroitement, je questionnai, j'interrogeai. Mais impossible d'obtenir une réponse précise. Ceux-ci disaient que le navire était lesté d'or, ceux-là que le lest n'était que de cailloux, qu'on avait pris pour de l'or. Je te laisse à penser si je fis des tentatives pour me procurer un de ces cailloux! Pas moyen. Cependant, je rôdai toute la journée sur la grève et je remarquai que la plus grande partie de l'équipage allait à terre. Je dépêchai quelques-uns de nos hommes après les mariniers, afin de les enivrer et de les garder à boire toute la nuit avec eux, s'il se pouvait. Instinctivement ensuite, je me rendis à la taverne du père Clovis. Le hasard me servit à souhait. On y causait du sujet qui m'intéressait. Vordec, le joaillier-armateur de la Grand'Rue, ne voulait pas que Cartier eût trouvé de l'or, quand entra un timonier de celui-ci:

On disait alors Saint-Servain, au lieu de Saint-Servan.

—Jean Morbihan, sans doute, dit Georges.

—Je crois que oui. Mais cela ne me préoccupe guère.

Quoi qu'il en soit, mon timonier avait justement une pépite dans sa poche. Il la montre. Vordec la prend, va l'essayer chez lui et revient à l'auberge en disant que c'est de l'or pur. Ma foi, marquis, je n'en ai pas entendu davantage. Je me suis sauvé comme un fol, et en deux minutes j'étais ici.

—Tu vois que j'avais raison! fit Maisonneuve avec un sourire complaisant.

—Tu as toujours raison, toi, marquis! répondit Eric, d'un ton de respectueuse admiration.

—Maintenant, reprit Georges, nous allons, comme je l'ai dit ce matin, jouer notre grand jeu.

—C'est convenu. J'ai déjà envoyé nos gens en expédition, au château Richeux, sur la route de Dol. Ils sont tous partis, à l'exception des six plus robustes et meilleurs mariniers.

—Bien, dit Maisonneuve. Nous enlevons le navire de Cartier, tout chargé d'or, et nous faisons voile pour mon château d'Écosse, où nous nous délivrerons aisément de nos complices...

—Mais ici? demanda Eric.

—Ici, repartit Georges avec un rire de belle humeur; ici-nous serons morts pour les Tondeurs, aussi bien que pour les habitants de la province. Un plan superbe, mon cher. Tu y applaudiras des deux mains. Tu sais que j'ai convié à un dîner d'adieu les jeunes gens les plus huppés de Saint-Malo. Ils sont là en train de s'enivrer avec des beautés faciles. Eh bien, dès que le navire sera à nous, et tandis qu'avec nos barques tu le remorqueras silencieusement hors de la rade, je remorque aussi la pupille de Cartier!

—Ah! elle te tient toujours au coeur! s'écria Eric, avec un geste de désappointement.

—Oui, répliqua Georges d'un ton sombre, je veux la posséder, et je la posséderai. Elle devait être à moi, jeudi prochain. Mais je lui ai écrit aujourd'hui que le de son tuteur changeait mes dispositions; que si elle m'aimait, j'irais la prendre ce soir, pour nous rendre à Césembre où nous nous marierons....

—Te marier! s'exclama Eric avec un accent de stupéfaction.

—Mais non, mais non... Écoute la fin, répliqua Maisonneuve. Je disais cela à cette fillette pour la décider. Quoique souffrante, elle m'accompagnera, j'en suis sûr. Elle me suit donc. Je la place dans mon bateau, tout prêt à te rejoindre vers les Conchées, où tu m'attendras; et, donne-moi toute ton attention....

—Je ne perds pas un mot, marquis.

—Cela fait, continua Georges en souriant agréablement, je rentre ici et mets le feu à certaine mèche, communiquant avec les poudres renfermées au rez-de-chaussée de l'hôtel...

—O grand homme! je te comprends! s'écria Eric, enthousiasmé. Tes convives sautent avec la maison, et demain l'on croira...

—Qu'infortuné, j'ai péri avec eux! On m'élèvera un tombeau avec une émouvante inscription pour rappeler le malheur qui atteignit, à la fleur de l'âge, un homme si bon, si généreux, si estimable, si...

La suite de cette phrase se perdit dans un désopilant éclat de rire.

Après une courte pause, Georges reprit:

—Mais nous n'avons pas de temps à perdre. A l'oeuvre! Où sont les hommes? La mer est étale. Il faut en profiter pour sortir le vaisseau du port.

—Les hommes sont en bas. Ils attendent tes ordres. Comment ferons-nous l'attaque?

—Rien de plus simple, répondit Georges. Le navire est amarré au rivage, m'as-tu dit?

—Oui, dans l'anse, derrière le môle, près du Chenil.

—Parfaitement. Tu sors d'ici avec les hommes par le souterrain. Vous montez dans une barque, et vous vous dirigez sans bruit et tout doucement vers le brig. Moi, j'y vais à pied, en suivant la grève. Les chiens me connaissent. Ils ne bougeront pas. Je m'approche du vaisseau. Mon costume de garde du port éloigne les soupçons. J'engage la conversation avec le marinier de faction, sur le tillac. Je lui propose une goutte de vin-de-feu. Il accepte. Pour lui donner à boire, je passe sur le pont du navire. Là, ce joujou,—et Georges exhiba un stylet caché sous son pourpoint,—signe à la sentinelle une commission pour l'éternité. Aussitôt vous accourez. Nous clouons les écoutilles. L'équipage est prisonnier. On largue les amarres, et...

—Bien! bien! bien! s'écria Eric, qui achevait de remonter son pistolet. En route!

Un escalier hélicoïde les conduisit dans une salle inférieure, où ils prirent une demi-douzaine d'individus, de physionomie scélérate, qui jouaient aux dés, en buvant du gwin ardant.

Avec ces gens, tous armés, ils descendirent dans le souterrain que nous avons parcouru, et débouchèrent bientôt par l'issue donnant sur la mer.

La grille de fer fut refermée avec soin. Georges de Maisonneuve en prit la clef, et s'avança sur la grève, beaucoup plus escarpée alors qu'aujourd'hui. Car bien que la ville fût aussi populeuse que maintenant, son enceinte fortifiée était moins considérable. Et elle reçut seulement au dix-huitième siècle, en , et , les développements qu'on lui voit à présent.

Le reste de la troupe des Tondeurs sauta dans un bateau, attaché près de la grille.

Il faisait un temps sombre, brumeux. La marée, dans son plein, baignait, en maintes places, le sentier glissant que Georges avait pris, au pied des remparts de la ville.

Cependant il allait d'un bon pas, comme un homme à qui le chemin était familier.

En cinq minutes, il arriva au Chenil. C'était, je crois, cette maisonnette que l'on aperçoit sur les anciennes Vues de Saint-Malo, près de la porte de Dinan. Quoi qu'il en soit, le Chenil servait de retraite à ces fameux «chiens du guet» qui livrèrent cours à un dicton bien connu.

«En , dit l'abbé Manet, on établit à (Saint-Malo) une garde de chiens pour la sûreté du port. Le nombre de ces chiens fut d'abord de , puis de à .

«Pendant le jour, on les tenait enfermés exactement dans leur chenil, situé au pied du mur de Gorge du bastion de la Hollande. Le soir, à la fermeture des portes, le gardien les conduisait dans le port et ne les lâchait qu'à dix heures, après le couvre-feu. Il les rappelait une heure avant le jour.

«Dans les derniers siècles, trente boisseaux de blé étaient affectés par le Chapitre pour leur nourriture annuelle; les deniers de la communauté, les débris de la boucherie et quelques autres curées fournissaient le reste. C'est cet usage local qui a donné naissance à la chanson de M. Dumolet. Un accident, arrivé le mai , à un jeune officier de marine, qui périt dévoré par ces animaux, décida les juges baillifs, chargés de la police du port, à s'en défaire. Tous ces chiens furent immédiatement empoisonnés .»

Histoire de la Petite-Bretagne, p. .

Les terribles molosses vaguaient sur la grève, quand Georges de Maisonneuve dépassa leur chenil.

Ils se précipitèrent en grondant à sa rencontre. Mais leurs grondements n'avaient rien d'hostile. C'était bien plutôt une démonstration amicale. Plusieurs mois auparavant, le jeune homme avait entrepris de les dompter. Il y était parvenu, au moyen de distributions de viande, de caresses, adroitement faites, et d'une fascination particulière qu'il exerçait sur les bêtes aussi bien que sur les gens.

Les chiens l'entourèrent, en bondissant de joie, en agitant la queue. Il les écarta doucement et descendit derrière le petit môle, «proche la Grand'Porte,» vers l'anse où le navire de maître Jacques Cartier était à l'ancre.

Tout se passa d'abord au gré de Georges. Il lia conversation avec l'homme de quart aux bossoirs; se plaignit de la froide bruine qui tombait et offrit de la combattre par un coup de vin-de-feu.

—Mordienne, ça ne ferait pas de mal, dit le marinier; par malheur, je n'en ai pas.

—Mais moi, j'en ai, camarade; un bon matelot ne s'embarque jamais sans biscuit, dit le faux garde. Voulez-vous que je vous jette ma gourde?

—Elle pourrait tomber à la mer. Sautez plutôt sur le pont.

Georges ne se le fit pas répéter.

Comme il prenait pied sur le tillac, un bruit étouffé d'avirons se fit entendre.

—Qui diable accoste à cette heure? Si c'étaient les Tondeux, ça ferait votre affaire, hein, monsieur le garde? dit avec un sourire le factionnaire, en regardant par-dessus la lisse de bâbord.

Le moment était propice. Georges tira son stylet et, d'un mouvement rapide comme l'éclair, le planta dans le dos du pauvre marinier, qui tomba lourdement, pour ne se relever jamais.

La cadence des avirons devenait de plus en plus sensible; à son tour le chef des Tondeurs se penchait par dessus le bord pour regarder, quand une formidable exclamation le fit tressaillir.

—Terr i ben! avait-on crié derrière lui.

Il voulut se ner. Mais déjà dix doigts, inflexibles comme l'acier, avaient serré un carcan à son cou.

Impitoyablement, ils l'étranglaient.

CHAPITRE IX

«LE CHARIOT »

Quand, par qui fut posée la première pierre du Château de Saint-Malo? Problème, dont nos archéologues cherchent encore la solution. Peut-être, cependant, est-il permis de hasarder une conjecture vraisemblable sur l'époque de sa fondation. Pourquoi ne remonterait-elle pas à la fondation de la ville elle-même, c'est-à-dire au huitième siècle? On sait que Saint-Malo occupe un îlot, qu'une étroite langue,—le Sillon,—relie au continent. Par terre, la ville n'est accessible que de ce côté. Aussitôt qu'elle commença à s'élever, on dut donc songer à la défendre sérieusement sur ce point. Une tour fut bâtie. Le Petit Donjon probablement. N'est-il pas la portion la plus ancienne du Château? Vauban eut cette opinion. Nous doutons qu'il se soit trompé. L'importance des fortifications marcha de pair avec celle de la cité. Bientôt la tour isolée parut insuffisante. On lui donna une soeur. Puis d'autres encore. Une ceinture de murs les maria plus tard en un seul groupe. Le Château était constitué.

Ce ne fut pas, cependant, sans résistance des autorités ecclésiastiques. Prétendant à l'omnipotence dans la ville, ce château, ouvrage des princes de Bretagne, portait ombrage à leurs prétentions. Suivant M. Cunat, l'érection du Grand Donjon est contemporaine du duc François Ier. Fait remarquable toutefois: ce donjon ne se voit pas sur diverses Vues de Saint-Malo, publiées dans le dix-septième siècle, pas même sur celle de Tassin, géographe de Louis XIII. Mais il existait alors. Rien n'est plus avéré.

En , Pierre de Laval, évêque de Saint-Malo, reconnaît qu'au duc François II et à ses successeurs appartient «la garde des églises, cathédrales et autres du duché, ainsi que le Château, clôture, fortification et garde de toute la ville.» Il reconnaît de plus au duc et à ses successeurs le droit d'y faire bâtir «tels édifices qu'il leur plaira, prendre tels fonds et endroits que bon leur semblera, sans pouvoir être empêché par ledit évêque». Pourtant, malgré ces aveux et concessions de Pierre de Laval, le clergé apporta toutes les entraves possibles à l'édification du Château, dont le gros oeuvre ne semble avoir été achevé que vers l'an .

Archives de Nantes. Armoire S. Cassette C.

La duchesse Anne, d'une piété ou plutôt d'une dévotion si vantée, eut elle-même à lutter contre le mauvais vouloir ecclésiastique. Elle s'en formalisa, elle s'en vengea. Venue à Saint-Malo, en , Anne voulut marquer son mépris de l'opposition que lui suscitaient les gens du Chapitre et fit graver sur une des tours du château l'inscription suivante, avec l'écusson de ses armes:

QUIC EN GROINGNE,

AINSY SERA,

C'EST MON PLAISIR

La tour reçut alors et conserva depuis le nom de Qui-Qu'en-Grogne. Mais notre grande révolution martela l'inscription comme l'écusson, dont on ne distingue plus que le cartouche mutilé.

Le Château de Saint-Malo, bien que d'une utilité militaire contestable aujourd'hui, est un des plus beaux types de forteresse du moyen âge et de la Renaissance. On l'entretient avec soin et l'on a raison. Pour le curieux comme pour l'érudit, c'est un monument précieux. Nous sommes seulement surpris que, dans ses vastes et belles salles, on n'ait pas pensé à installer un musée. Celui de Saint-Malo est-il bien à sa place, dans ce pavillon étroit, obscur, incommode, qui lui a été assigné? Quant à nous, nous aimerions à le voir, ainsi que la bibliothèque, dans le Château.

Ce château, le populaire, toujours éloquent, toujours sans s'en douter docteur ès-tropes, dans son langage l'a d'un mot caractérisé: il l'appelle le Chariot.

Et c'est un vrai char de pierres! Caisse, roues, timon, strapontin, rien n'y manque. Des chevaux? Non. Mais ou vient d'y atteler la vapeur. La gare du chemin de fer est au bout du Sillon.

Imaginez un quadrilatère, sur un des petits côtés duquel s'appuie un triangle, voici l'ensemble, la caisse et le timon du char; quatre tours rondes, aux quatre angles du quadrilatère formeront les quatre roues,—roues de géant, à coup sûr;—et pour siège du cocher, un Gargantua quelconque, ledit cocher, je vous donnerai le Grand Donjon, solidement assis au beau milieu du quadrilatère, et le dominant d'une royale hauteur. De figure singulière, ce donjon. Il ressemble à une moitié d'oeuf: la partie cintrée regarde les champs, la mer, le port; elle est à créneaux, meurtrières et mâchicoulis; l'autre voudrait regarder la ville, mais n'y voit rien. C'est un mur perpendiculaire, tout d'une pièce, rectiligne à sa base, angulaire à son sommet, qu'on dirait avoir été dressé, de mauvaise grâce, pour masquer l'ouverture de ce demi-ovale, partagé comme d'un coup de tranchet.

Longtemps, le Grand Donjon fut à ciel ouvert. Vers le commencement du dix-huitième siècle, on lui posa un toit, que surmonte néanmoins, à son milieu, une tour carrée de moindre dimension, flanquée au nord et au sud par deux tourelles à encorbellement.

Un escalier, en colimaçon, mène au sommet de ces tourelles, d'où l'oeil embrasse un horizon immense, et à l'entre-deux desquelles s'élance un mât de signaux.

Si je ne me trompe, le Château eut autrefois deux portes: l'une à l'est sur la campagne, l'autre à l'ouest sur la ville. A présent il n'en a plus qu'une, celle de l'ouest.

Cette porte franchie, vous êtes dans la cour d'honneur; devant vous des bâtiments écrasés par la masse énorme du Grand Donjon. A droite, la tour la Générale, avec la fontaine; à gauche, Qui-Qu'en-Grogne, et le Petit Donjon avec des casernes et la chapelle du Château. Derrière, la maison du gouverneur, puis une douve profonde, puis un jardinet malingre, rachitique, la proie des sables et des vents; puis deux autres tours: la tour des Dames commandant la mer, la tour des Moulins défendant l'arrière-port; puis enfin, des casemates, des glacis, des braies et fausses braies, et la pointe du triangle dont j'ai parlé plus haut. Cette pointe est nommée pointe de la Galère. Tout cela sombre, rechigné, menaçant, humide, suintant, glacial, un sépulcre.

De nos jours, on arrive de plain-pied au Château. Jadis, le flot battait partout ses murs. Un pont en pierre, de trois arches, terminé par un pont-levis, le mettait alors en communication avec la ville.

Mais ses tours et ses courtines étaient moins élevées que maintenant. Ce ne fut qu'à partir de qu'elles reçurent les développements actuels.

La mer occupait, en grande partie, la belle place Chateaubriand, derrière la porte moderne Saint-Vincent. Toutefois, le parvis de la chapelle Saint-Thomas offrait comme une petite esplanade vis à vis des tours Qui-Qu'en-Grogne et la Générale.

Dans cet étroit espace se foulait une multitude avide et turbulente, le matin du septembre .

Les portes, les fenêtres et jusqu'aux toits des maisons étaient garnis de curieux. Une grave nouvelle circulait de proche en proche: les compagnons, mariniers de maître Jacques Cartier, avaient appréhendé, durant la nuit précédente, trois Tondeurs. L'un d'eux, assurait-on, était le chef de ces brigands; mais le fait n'était point du tout prouvé; généralement même son assertion ne rencontrait qu'incrédulité.

Aussi, lorsque, vers huit heures, on vit apparaître les trois prisonniers enchaînés et escortés par fine troupe de matelots, le désappointement fut-il universel. Ces deux pêcheurs, à la mine piteuse, et cet homme, la figure en sang, méconnaissable, l'air consterné, vêtu en garde de la ville, que pouvaient-ils avoir de commun avec les terribles Soudards, dont le nom seul faisait tout trembler à dix lieues à la ronde?

Cependant, à l'une des croisées ouvertes sur la place, pâle, inquiète, frémissante, se tenait Constance.

A travers les vagues tumultueuses de la cohue, elle aperçut les trois captifs. Elle devina son amant, malgré l'étrange déguisement qu'il avait pris. Une exclamation sourde jaillit de ses lèvres.

—Qu'as-tu donc, mon enfant? Sainte Vierge, comme tu frémis! s'écria dame Catherine, qui se trouvait près d'elle.

—Ce n'est rien, mère, rien! ne t'alarme pas, répondit la jeune fille en mordant fébrilement son mouchoir, pour ne pas éclater en sanglots.

—Ce spectacle te fait mal. Il faut fermer la fenêtre, reprit dame Catherine.

—Non, non; laisse-moi voir. Je veux voir.

—Quel bonheur que le brave Jean Morbihan se soit trouvé là, continua la femme de Cartier. Sans lui, ces misérables, le Seigneur leur pardonne! massacraient tout l'équipage, pour s'emparer du navire. Heureusement aussi que maître Jacques n'était pas à bord!... Si tu te sens mieux aujourd'hui, ma chère enfant, comme le temps promet d'être beau, nous irons, à marée basse, accomplir ce pèlerinage que nous avons promis à Sainte-Marie-du-Laurier.

—Oui, mère, oui, nous irons... quand vous voudrez, répliqua Constance, tout à fait inconsciente de ce qu'elle disait, car elle n'entendait ni les paroles de dame Catherine, ni les huées dont le peuple poursuivait les prisonniers.

Les yeux de Constance ne quittaient point le faux garde du port, qui, cependant, ne tourna pas la tête de son côté. La vie physique et intellectuelle de la jeune fille était concentrée sur lui.

Elle y demeura, quand le pont-levis du Château se fut redressé derrière les Tondeurs.

—Ah! voici ce bon père Jean qui rentre, dit au bout de quelques instants dame Catherine. Viens dans la salle, ma fille. Il nous fera beau récit de la prise qu'il a faite. Mais pourquoi restes-tu là, immobile? Te sentirais-tu plus mal?

—Point du tout, mère, répondit Constance, en essayant de sourire. Je te suis.

Les deux dames descendirent au rez-de-chaussée où une nombreuse compagnie d'amis, d'officieux et d'oisifs causaient avec Jacques Cartier des événements du jour.

Le vieux Jean Morbihan arrive. On l'entoure. Chacun veut savoir de sa bouche comment cela s'est passé. Et le brave timonier recommence, pour la vingtième fois dans cette matinée, la narration de sa capture.

—J'avais quelque chose là qui m'avertissait que nous serions attaqués dans la nuit, min Gieu, oui! dit-il en se frappant le front avec le pouce et l'index fermés. D'abord, j'avais remarqué, dans l'auberge A Monsieur Saint Anthoine, un particulier qui ne me revenait pas en tout. Avec son costume de pêcheur, il ressemblait à un pêcheur comme un requiem à un sanglier de basse-cour. Aussi, quand je le vis détaler, en sournois, sans même demander son compte, je jugeai que mon gaillard complotait quelque méchante action. Je sortis à mon tour et allai tendre mon branle sous l'accastillage de la poupe de notre navire. Je veillai bien une heure ou deux, mais, ma foi, ne voyant rien venir, je m'endormis et dormais comme un loir, lorsqu'un bruit sourd m'éveilla... trop tard, hélas! Imbécile, bête brute, je m'en voudrai toute ma vie!...

Requin. Autrefois on l'appelait requiem (d'où requin), sans doute parce que la vue de ce monstre était un signe de mort.

—Comment donc, mon pauvre Jean! mais il n'y il pas de ta faute, lui dit affectueusement Cartier.

—Pas de ma faute! Maître, vous dites qu'il n'y a pas de ma faute! s'écria le vieux Morbihan. Sauf votre respect! ce n'est pas mon opinion, à moi. Je ne suis qu'un nigaud, un misérable, un assassin! un assassin, le meurtrier de mon semblable, da oui!

—Allons, allons, calme-toi! reprit Cartier. N'as-tu pas sauvé le navire? et sauvé peut-être vingt hommes de la mort?

—Ça c'est vrai, maître; mais ça n'est pas une raison, non plus, pour m'être laissé aller au sommeil comme un ivrogne. Je suis un maudit. Si j'étais resté l'oeil ouvert, ce pauvre Yvon, le bon Gieu ait son âme! n'aurait pas été tué comme un chien, par ce brigand de brigand... Maître, vous me retiendrez la moitié de ma paie, pendant notre dernier voyage, pour lui faire dire des messes, à Yvon...

—C'est à mes frais, mon brave Jean, qu'on les dira, ces messes; je m'en charge; continue, dit Cartier.

—Enfin, poursuivit le timonier, je saute à bas de mon branle. J'aperçois sur le pont le corps d'Yvon. Il râlait son dernier soupir. Et près de lui se tenait une espèce de garde de contrebande. J'empoigne mondit garde par le cou, et je serre. Il se débat. Sans mot souffler, nous nous roulons sur le tillac. Le vacarme fait lever nos hommes couchés dans la batterie. Ils arrivent, en même temps qu'une demi-douzaine de gredins tombaient sur moi. Ah! si le scélérat que j'aurais dû étrangler ne m'avait blessé avec son stylet, il ne s'en serait pas échappé un seul...

—Tu es blessé! s'écria Cartier avec un accent de vive sympathie.

—Rien! maître, rien! une égratignure. L'arme a glissé sur les côtes.

—Jésus Sauveur! il faudrait vous soigner, appeler un physicien, Jean! dit dame Catherine d'un ton douloureusement ému.

—Peuh! on en a vu bien d'autres! siffla le timonier.

—De façon que, sur six ou sept, vous n'avez pu en prendre que trois! interrogea un des auditeurs.

—Min Gieu, oui! soupira Morbihan. Il faisait de la brume. Les autres ont sauté par-dessus la lisse et se sont enfuis dans leur barque.

—Et tu crois que ce sont des Tondeurs? demanda Cartier.

—J'en répondrais sur ma vie, maître. Je crois bien mieux, ajouta Jean en cherchant des yeux Constance, qui écoutait, silencieuse, derrière un groupe.

—Que crois-tu donc?

—Eh! eh! répliqua le vieux marin; je crois, sauf votre respect, que l'un des prisonniers, l'assassin d'Yvon, est le capitaine de ces bandits.

—Bah! fit Cartier, en hochant dubitativement la tête.

Plusieurs personnes exprimaient des doutes. Le visage de Constance s'altérait.

—Enfin, reprit le père Jean, que ce soit lui ou un autre, on le saura bientôt. Une fois ces hérétiques domptés, on vous leur a solidement amarré les poignets et les chevilles avec un bon morceau de tanin et on vous les a affalés dans la fosse aux lions, da oui... Ah! si je m'étais éveillé rien qu'une minute plus tôt!... Pauvre Yvon, va!...

—Tu as conduit les malfaiteurs au Château? s'enquit Cartier.

—Oui, maître Jacques. Oh! ils sont en sûreté. On en a logé deux dans la tour des Moulins, et le troisième, mon gredin à moi, dans Qui-Qu'en-Grogne.

—Leur chef? questionna involontairement Constance.

—Min Gieu, oui; leur monstre de chef, répondit Jean Morbihan, en adressant à la jeune fille un regard tout à la fois attristé et colère.

—Tant mieux, si tu dis vrai, reprit Cartier. De toute manière, mon homme, tu peux compter sur une belle récompense. Mais, pour l'instant, soyons à nos affaires et allons décharger la cargaison du brig, car je me propose de partir, dans quelques jours, pour Paris, rendre compte de mon voyage à notre honoré sire, le roi.

A ces mots, Morbihan se mit à gronder entre ses dents. Puis, tandis que les étrangers quittaient le logis de Cartier, il s'approcha de Constance et lui dit:

—Petiote, je veux te parler, moi. Cela ne te convient pas, hein?

—Mais si, mais si, répondit-elle en affectant une gaieté loin de son esprit.

Le vieux marin et la jeune fille montèrent dans la chambre de celle-ci.

C'était une grande pièce bien froide, bien vide à la mode du temps. Excepté le vaste lit-clos, ciré, luisant comme une glace, et deux bahuts, les meubles étaient rares contre les murailles lavées à la chaux. La cheminée faisait face au lit. Elle ressemblait par ses dimensions et sa profondeur à l'orifice d'une caverne. Aussi l'air, en s'y engouffrant, y psalmodiait-il incessamment un chant lamentable. Des sculptures, grossières imitations de fruits, essayaient de décorer le manteau de cette cheminée. Un luth, quelques romans de chevalerie et livres de piété sur une étagère, un miroir en fer bruni, une demi-douzaine d'escabelles complétaient, avec un prie-Dieu gothique, le mobilier de cette chambre, dont un lacis de solives enjolivées de peintures composait le plafond. Un carrelage de faïence, blanche et bleue, tenait lieu de parquet. Trois ou quatre pots de fleurs tentaient vainement de combattre la nudité du local, mais en rompaient cependant l'uniformité.

En entrant, le vieux Morbihan se jeta sur un siège. Constance sauta sur ses genoux avec la souplesse d'une chatte et lui passa un bras autour du cou.

—Qu'est-ce que vous avez contre moi, père? dit-elle en le câlinant du regard et du geste.

Jean ne s'attendait pas à ces caresses. Il en fut désarmé.

Brusquement, toutefois, il s'écria, après quelques moments de silence:

—J'ai, min Gieu... j'ai... j'ai que je ne suis pas content de toi, petiote... Non, pas content, en tout.

—Parlez, que vous ai-je fait? demanda Constance, s'amusant, comme une enfant, à tresser en nattes les longs cheveux du marin.

—Ce que tu m'as fait, ce que tu m'as fait... tu es une cajoleuse!

—Après? dit-elle souriante.

Jean Morbihan se morigénait intérieurement de sa faiblesse. Il prit son courage à deux mains et, enlevant Constance de dessus ses genoux, il la plaça sur une escabelle, à quelques pas de lui, pour ne point se laisser «ensorceler par ses minauderies.»

—Ma fille, ta conduite est répréhensible, très-répréhensible dit-il de son ton le plus sévère. Elle offense le bon Gieu et elle afflige ceux qui t'aiment. Moi, le premier, moi qui t'ai élevée avec cette brave Manon, après t'avoir rapportée de la Terre Neuve...

—Mais, enfin, quelle faute ai-je commise? s'écria Constance d'un ton impatient.

—Tu le sais bien, da oui, tu le sais! tu sais ce que je veux dire. N'es-tu pas éprise du bandit qui a tué Yvon?—ce que je ne me pardonnerai jamais...non da, jamais!

—Moi! dénia l'impudente, en riant aux éclats.

Le front du vieux Jean se plissa. Sa voix se fit grave, presque dure quand il prononça ces mots:

—Ma fille, il ne faut pas mentir. J'excuserais tout de toi, car je t'aime presque à la déraison; mais pas de mensonge. Je le déteste, le mensonge! C'est la porte de derrière des mauvaises actions. Malheur à ceux qui s'en servent! Ils se condamnent à n'être pas absous de leurs péchés. Je préférerais te savoir morte, plutôt que délibérément menteuse!

—Mon Dieu! comme vous me dites cela, Jean! sanglota Constance.

Le bonhomme fut aussitôt gagné. Il se reprocha sa raideur. Et, pour l'atténuer, il alla prendre la jeune fille tout en larmes et la remit sur ses genoux.

—Voyons, voyons, disait-il d'un ton mouillé; ne pleure pas comme ça, ou mes yeux vont ruisseler comme des fontaines. Je n'ai pas voulu te gronder, mais seulement t'avertir. Avoue que tu es amoureuse de... Je vous ai surpris un jour causant derrière le pignon... da oui...

Et dans la nuit d'avant-hier, pas plus tard, comme nous venions de débarquer, est-ce que je ne l'ai pas vu qui sautait par la fenêtre, hein? Si je ne savais que la vieille Manon était là, terr i ben! Ah! tu as du bonheur, toutefois, que maître Jacques ne l'ait pas aperçu!... Ma pauvre fille, il n'aurait pas pris la chose comme moi, lui! Mais tu ne peux épouser un... enfin, tu diras ce que tu voudras, c'est un brigand... un meurtrier... Encore si je m'étais éveillé une minute plus tôt, j'aurais pu douter... Min Gieu, oui! Mais là je l'ai vu, vu comme je te vois, il a égorgé...

—Êtes-vous sûr que ce soit lui?

—Sûr! repartit Jean Morbihan, en levant ses regards au ciel: Ah! que trop sûr! que trop sûr!

—Et vous dites que vous l'avez vu assassinant Yvon? reprit fermement la rusée créature.

—Vu assassinant! répéta Jean, vu assassinant!... pour ça, non. Mais quand je l'ai pris, Yvon était mort, et pas un autre que ce Soudard...

—Enfin, vous ne pouvez jurer que c'est lui l'assassin?

Morbihan se gratta le front. Cette logique l'embarrassait.

—Non, tu as raison, dit-il au bout d'un instant. Cependant, tout prouve...

—Eh bien, interrompit la jeune fille, enhardie par son premier succès, vous ne devez pas, sur une présomption légère, accuser peut-être un innocent.

La réponse alla droit au coeur du vieux marin.

—Un innocent! s'écria-t-il; un innocent! Il avait encore son stylet à la main. Non, il n'est pas innocent! Non, ce chef de...

—Qui vous a dit que c'était le chef?...

—Je l'ai reconnu, repartit Morbihan en haussant les épaules. Il s'appelle ici, pour toi comme pour d'autres, Georges de Maisonneuve...

Constance tressaillit et promena un regard inquiet dans la chambre.

—Oh! Jean, mon protecteur, mon père chéri, ne le perdez pas; si vous m'aimez, ne le perdez pas... Sa mort serait la mienne! proféra la jeune fille, en se glissant aux pieds du marin, qu'elle arrosa de pleurs.

—Mourir! toi! qu'est-ce que cela? que dis-tu? reprit-il tout ému, en l'entourant de ses bras, comme pour la défendre d'un ennemi.

—Je dis que s'il meurt je mourrai, répliqua Constance avec une sombre énergie.

—Mais tu voudrais donc l'épouser? fit le père Jean d'un ton stupéfait.

—Il ne s'agit pas de cela; il s'agit de le sauver. Promettez-moi de m'aider?

—Impossible, petiote! un criminel, un pirate, le meurtrier de...

—Vous voulez donc ma mort!

—Ta mort! Terr i ben! tais-toi. Que je n'entende plus ce mot-là!

—Alors, aidez-moi à le sauver!

—Le sauver! mais comment?...

—Ah! Jean, mon ami, mon père adoré, que vous êtes bon! Vous cesserez de dire que vous l'avez reconnu...

D'ailleurs, en êtes-vous certain? Vous ne le chargerez plus d'un meurtre qu'il n'a peut-être pas commis... et vous ne vous exposerez pas à des remords éternels... car s'il n'était pas coupable!... Me promettez-vous tout cela? Vous n'êtes pourtant pas méchant! vous m'aimez pourtant!

—Et tu l'épouserais? fit-il à demi vaincu.

—J'ai votre parole, n'est-ce pas? dit Constance, redoublant ses caressantes supplications.

—Oui, si tu fais serment de ne pas l'épouser... Ah! l'enjôleuse, elle...

—Tout ce qui vous plaira!

—Que pensera de moi maître Jacques?

—Maître Jacques ne sait pas que c'est lui! riposta vivement Constance.

—Je l'ai donné à entendre....

—Mais on doute.

—Min Gieu, est-ce que tu vas m'apprendre à mentir? s'écria le père Jean, dont la conscience honnête se débattait impuissante dans le réseau de tendres arguties dont la jeune fille l'avait enveloppée.

Pour toute réponse, Constance s'enfuit dans une pièce voisine en criant:

—Merci, mon bon ami Jean, j'ai votre parole!

CHAPITRE X

L'ENLÈVEMENT

Depuis quelque vingt-quatre heures, le de maître Jacques Cartier formait à Saint-Malo le sujet de toutes les conversations. Contrariée dès l'origine par la jalousie, son expédition était encore en butte aux mêmes attaques. On en contestait la réussite, dans plus d'un des riches magasins de la ville. Les impuissants et les envieux discutaient amèrement ses mérites. Pour eux, Cartier n'avait rien découvert, rien fait. Les parages qu'il venait d'explorer, on les connaissait de longtemps. Quelle nécessité de causer tant de fracas lors de son départ, pour aboutir à si mince résultat! C'était, ma foi, bien la peine d'implorer la bénédiction de Monsieur de Saint-Malo; de faire faire la montre de ses équipages par le vice-amiral de France; d'agiter la ville; de mettre tout le duché en l'air! Ce Cartier, qui s'était imaginé être un Colomb! Un Christophe Colomb, lui! je vous demande un peu! Orgueilleux, vaniteux, hâbleur, oui!

Mais de talents? Point. De qui descendait-il, après tout? De Jamet, le mari à la Jeffeline Jansart! Des gens de rien. Qui donc l'ignorait à Saint-Malo! Son grand-père était un meurt-de-faim. Et lui, le petit Jacques, il avait voulu se distinguer! trancher de l'homme important! Belle importance, vraiment! Un pêcheur de morues! Mais, parce qu'il avait épousé la fille du connétable de la cité, cette pauvre Catherine, qu'il rendait malheureuse, c'était une horreur! mons Cartier s'en faisait accroire. Il voulait singer les grands seigneurs. Avec quoi, mon Dieu! Sa fortune était-elle si considérable? Le beau savant, d'autre part! Il avait pris des marcassites de cuivre pour de l'or, et en avait chargé ses vaisseaux à les faire sombrer! On avait bien montré à Vordec, l'orfèvre, un petit caillou aurifère. Mais si petit, à veine si maigre! Tout le reste, ou à peu près, pyrites cuivreuses ou mica, bon à jeter à la mer!

Ainsi déblatérait-on, avec force sourires malins, dans maintes boutiques du haut commerce malouin.

Mais la masse du peuple ne jasait pas de même. Elle aimait Cartier. Elle rendait justice à son intrépidité, à sa persévérance. Franchement, elle applaudissait à ses succès. Car le peuple possède un sens de discernement exquis. On ne le peut tromper, ni souvent,-ni longtemps. Abusé un instant, il démêle bientôt le leurre et réagit vigoureusement contre lui.

Ce n'est pas que le premier voyage de Cartier eût donné tous les fruits qu'on en attendait. Ardentes étaient alors les espérances attachées aux navigations lointaines. Les richesses, les merveilles, les singularités inouïes, découvertes récemment au-delà de l'Atlantique par les Espagnols et les Portugais, avaient étrangement aiguisé l'appétit. Tout rayonnant de gloire, de luxe, d'éclat, le siècle s'y prêtait. Les pompes féeriques du Champ du Drap-d'Or ne sont qu'un échantillon du faste qui régnait en maître à cette époque. Nos incursions en Italie, nos rapports avec l'Orient avaient raffiné, outre mesure, chez nous le goût de la magnificence. Beau cavalier, d'une élégance innée, mais ostentatoire, le roi donnait l'exemple; la cour suivait; et la ville, ne voulant pas rester trop en arrière, entraînait jusqu'à la campagne. Prodigues étaient les dépenses, tout naturellement. Pour y subvenir, les ressources nationales devenaient insuffisantes. Il fallait donc s'adresser à l'étranger, à l'inconnu. Des Grandes-Indes on faisait des récits fabuleux. L'or, l'ivoire, les pierreries, les étoffes précieuses, les épices, tout ce qui constitue la délicatesse de la vie abondait. On y marchait de surprise en surprise, d'enchantement en enchantement. Comparée à ces régions fortunées, l'Europe était une terre stérile, dépourvue, traitée en paria par la nature. Ne devait-on pas conquérir des contrées aussi injustement privilégiées, ou, pour le moins, les débarrasser du gênant fardeau de leur superflu? Le mobile des explorations d'outre-mer est là. Par surcroît de charité, la religion vint appuyer d'un prétexte sacro-saint ce désir de spoliation. Mais c'est le butin qu'on voulait, c'est le butin qu'on exigea des vaincus.

Longue, périlleuse, cependant, se montrait la traversée de l'Europe aux Indes orientales. La seule route pour nous était celle du cap de Bonne-Espérance. Quel chemin! Colomb pensa qu'il y pourrait aller eu cinglant à l'ouest, en la mer Atlantique. Parvenu dans le golfe du Mexique, il se crut aux confins de l'Asie. Ses compagnons, ses successeurs caressèrent la même erreur. Vasco Nunez qui, le premier, découvrit l'océan Pacifique (septembre), n'en fut pas exempt non plus. Le Vénitien Cabot et le Portugais Cortéréal pas davantage, ni le Florentin Verazzani, quand ils reconnurent Terre-neuve, les côtes de la Floride et du Labrador. La voie des Indes orientales par le nord-ouest, les Européens l'ont toujours cherchée depuis. Ils la cherchent encore.

Seulement, aux quinzième et seizième siècles, on jugeait que l'Amérique était une pointe du continent asiatique. Tout à l'heure, nous verrons que dans la troisième Commission, octroyée à Cartier, en , par François Ier, il est dit que le célèbre pilote a découvert «grand pays des terres du Canada et Ochelay, faisant un bout de l'Asie, du costé de l'Occident.»

Voir mon Introduction à l'oeuvre de Sagard.—Tross, éditeur.

En son premier voyage, maître Jacques avait bien côtoyé une partie de cette pointe. De plus, il avait visité et dénommé diverses îles. Il soupçonnait l'existence d'un passage «entre la Terre Neuve et la terre de Brion;» c'est-à-dire que Terreneuve était une île, et que, désormais, pour se rendre dans le golfe Saint-Laurent, il ne serait plus nécessaire de s'élever jusqu'au détroit de Belle-Isle. L'événement le lui prouva l'année suivante. Mais le littoral qu'il côtoya, l'archipel qu'il parcourut en tous sens, enfin ce golfe Saint-Laurent, dont il donna alors la description à peu près correcte, n'étaient déjà plus des mystères pour le monde maritime. Avant les Cabot, les Cortéréal, les Verazzani, nombre de nos pêcheurs, je l'ai précédemment indiqué, exerçaient leur industrie dans ces parages. C'est à tort que dans sa Notice, d'ailleurs très-consciencieuse, sur Saint-Malo, M. Ch. Cunat revendique pour Cartier l'honneur d'en avoir le premier rapporté la morue. Cartier ne déclare-t-il pas, en sa Relation, que, se trouvant dans le détroit de Belle-Isle, il «avisa une grande Nave, qui estait de la Rochelle» et venue là pour faire la pêche? Soyons donc impartial. Et, sans marchander à Cartier la gloire à laquelle il a droit, ne cherchons pas à prêter à son premier voyage une valeur que lui-même, si modeste et si franc, n'essaya nullement de lui attribuer.

La gloire de maître Jacques n'est point en cette navigation initiale. Elle est dans sa divination de ses découvertes futures, dans sa persévérance, je le répète. Il avait entrevu l'embouchure du Saint-Laurent. Il pressentit l'importance de ce fleuve. Mais la saison était déjà avancée. Cartier craignit d'être surpris par les glaces. Il tint conseil avec ses «capitaines, mariniers, maîtres et compagnons,» et l'on décida, sagement, de ner en France.

Si, au point de vue matériel, son entreprise n'avait pas été féconde, elle l'était largement au point de vue moral. D'abord, Cartier y avait déployé ses nobles qualités naturelles. Il s'était montré habile, ingénieux, brave, dur à la fatigue, hardi au danger, fertile en ressources dans les situations critiques. Il avait conquis l'estime et l'admiration de ses équipages. Bien mieux, et c'est le propre du génie, il leur avait inoculé son enthousiasme pour l'oeuvre commune.

La baie des Chaleurs ne leur eût-elle apparu comme un pays «plus chaud que n'est l'Espagne et le plus beau qu'il est possible de voir,» tout couvert d'arbres magnifiques, de céréales, raisins blancs et rouges, fraises, mûres, roses et «autres fleurs de plaisante, douce et agréable odeur,» tous les compagnons de Cartier auraient encore renchéri sur les avantages de leurs découvertes. N'est-il pas dans la nature de l'homme de vanter ses biens, les choses qu'il a faites ou auxquelles il a collaboré?

Cartier avait su se faire apprécier, aimer de ses gens. C'était l'essentiel. A l'envi, ils chantèrent ses louanges. Et bien que ceux qui, comme Jean Morbihan, avaient fait provision de fragments de roches micacées ou cupriques, dans la persuasion que c'était de l'or, fussent tristement désabusés, ils n'en exaltaient pas moins les bénéfices de l'expédition.

Aussi, pour les personnes désintéressées,—et c'était la masse,—de simple pilote, maître Jacques Cartier fut-il tout d'un coup transformé en un grand capitaine. La veille, il s'endormait dans l'obscurité; le lendemain, il s'éveillait au brûlant soleil de la renommée.

Le septembre, on pouvait voir notre vaillant capitaine, précédé du clergé de Saint-Malo, bannière en tête, suivi de son épouse, de sa fille adoptive et de tous les hommes du son équipage, sortant par la porte B***cours et s'avançant vers le rocher du Grand-Bey.

Jacques Cartier accomplissait son voeu de faire un pèlerinage à Sainte-Marie-du-Laurier, s'il revenait sain et sauf dans sa patrie.

Une foule compacte, en habits de fête, se pressait derrière le cortège. Elle examinait curieusement et un peu railleusement deux individus, à la figure cuivrée, rayée de peintures extravagantes; les cheveux dressés en une mèche sur la tête, ornée de plumes, portant sur les épaules un manteau de cuir agrémenté de broderies en piquants de porc-épic; des jambières et des souliers également en peau, et également couverts de broderies.

A la main ils avaient un arc, des flèches, un casse-tête.

C'étaient Taignoagny et Domagaia, deux jeunes sauvages, amenés de la baie de Gaspé par Cartier, et que, pour cette circonstance, ou avait revêtus du costume de leur tribu.

Insensibles à l'attention grossière dont ils étaient l'objet, ils se tenaient gravement aux côtés de maître Jacques.

Le ciel était radieux, l'air d'une douceur ineffable, rempli de chants, de senteurs pénétrantes. La mer, comme énervée par les chaudes caresses du soleil, semblaient une immense cuve d'argent en fusion, dont les flots, disséminés çà et là, formaient des scories.

Ce spectacle plongeait l'âme en une molle rêverie. Il invitait au recueillement.

Parvenus devant la chapelle, les membres du clergé et la famille Cartier y entrèrent. Mais elle était trop peu spacieuse pour contenir tout le monde. Les matelots et le reste de la multitude demeurèrent au dehors, pieusement prosternés en face du choeur du saint lieu, dont, à dessein, on avait laissé les portes ouvertes.

La majesté de la cérémonie ne parut pas faire la moindre impression sur les sauvages.

Froids, immobiles, impassibles comme des statues, ils entendirent chanter le Te Deum d'actions de grâces. Mais sur un signe de maître Jacques, ils s'agenouillèrent à l'élévation du Saint-Sacrement.

Monsieur de Saint-Malo, alors l'évêque François Bohier, donna sa bénédiction.

Cartier fit offrande à la chapelle de plusieurs gros cierges dorés, enrubannés, et d'une belle croix d'argent; puis, comme le soleil se penchait à l'horizon, l'on rentra en ville, où les ecclésiastiques furent processionnellement reconduits dans la cathédrale.

Timidement, à la sortie, Étienne Noël s'approcha de Constance. A peine, depuis son , avait-il pu prendre de ses nouvelles. Le service l'avait retenu à bord. D'humeur accommodante, bienveillant à tous, maître Jacques était intraitable sur l'article discipline. Pour ses proches parents, il n'avait pas plus de condescendance que pour les étrangers. Plus d'une fois ses beaux-frères, Jalobert et Desgranches, se crurent en droit de se plaindre de la sévérité qu'il leur témoignait dans les affaires du service. Étienne Noël, étant de garde, la veille, sur le navire mouillé dans le port de Saint-Servan, n'avait pu venir embrasser dame Catherine et Constance que le matin de ce jour. Encore l'entrevue avait-elle été fort courte, car il lui avait fallu ner au brig, pour en diriger le déchargement, et s'apprêter pour la cérémonie du tantôt.

Le pauvre jeune homme brûlait de se trouver en tête à tête avec Constance. Il y avait si longtemps qu'il ne l'avait vue, qu'il ne l'avait entretenue de son amour. Il avait tant et si passionnément songé à elle pendant ce fastidieux voyage! Puis, étonnante révolution! Constance qui, d'ordinaire, l'intimidait par sa froideur revêche, son air railleur, Constance s'était montrée ce matin-là bonne, affable, sympathique, presque tendre! Étienne le pensait, du moins. Pourquoi non? Dame Catherine n'en avait-elle pas fait la remarque? Manon, mise par lui dans la confidence de cet heureux changement, avait bien branlé la tête; mais Manon était une vieille folle! Le plus souvent, elle radotait.

Si rien ne clôt mieux la bouche aux amants que la crainte de déplaire, rien ne leur délie la langue comme l'idée d'être agréables.

—Enfin, cousine, me voici libre et le plus heureux des mortels, ayez-en la conviction! dit Étienne d'un ton gaillard.

—Vraiment? fit-elle avec une grâce engageante.

—Songez donc, belle cousine, que depuis cent trente-neuf jours j'étais séparé de vous.....

Un sourire malicieux effleura les lèvres de la jeune fille.

Vous les avez comptés, dit-elle. Ah! beau cousin, c'est d'une patience angélique....

—Si je les al comptés! soupira Étienne. Eh! j'ai compté les heures, les minutes...

—Et aussi les secondes, allons! avouez-le! s'écria-t-elle en riant tout à fait.

—Je vois avec un vif plaisir que Constance a plus d'amitié qu'autrefois pour notre neveu! disait à sa femme maître Jacques, qui venait à quelques pas d'eux.

—Et moi aussi, mon ami, répondit dame Catherine. Le caractère de Constance s'est au reste bien amélioré pendant sa maladie.

—Ils font un joli couple, poursuivit Cartier en se frottant les mains. Ma foi, nous les marierons à mon de Paris!

—Heu! marmotta le vieux Jean Morbihan, ça n'est pas encore fait, da non!

—Que dis-tu, maître grognon? lui demanda le capitaine.

—Moi! oh! rien, rien en tout.

—Vous êtes méchante et vous me taquinez toujours, Constance, continuait Étienne. Est-ce ma faute si je vous aimé comme un fou? si nuit et jour j'ai rêvé à vous pendant cette navigation de près de cinq mois? si enfin j'ai été cent fois sur le point de déserter mon poste pour venir vous voir, hier?

—Et qu'est-ce donc qui vous a retenu, beau cousin? dit-elle malicieusement.

—Ce qui m'en a empêché? répliqua Étienne surpris; mais le devoir...

—Oh! le fier amoureux! qui fait passer le devoir avant l'objet de sa flamme!

—Vous savez, cousine, comme maître Jacques est rigoureux...

—Je sais, interrompit-elle vivement, que quand on aime on ne doit plus rien connaître que son amour!

—Mon obéissance aux ordres supérieurs est une garantie de mon obéissance aux vôtres lorsque nous serons mariés, répondit-il de ce ton maniéré qui était alors le comble de la galanterie.

—Mariés! hélas! mon doux! gémit Constance, ce ne sera pas avant l'Assomption prochaine.

—L'Assomption prochaine! répéta Étienne ébahi.

Puis, il se reprit:

—Mais vous oubliez, cousine, qu'elle est passée depuis le août dernier, l'Assomption!

—C'est vrai, mon aimé, repartit Constance avec ses inflexions les plus caressantes; mais elle reviendra, s'il plaît à Dieu, l'an prochain.

—L'an prochain! l'an prochain!...

—Las, oui! Vous savez, bon Étienne, que j'ai failli périr, en vous quittant, quand vous partîtes pour la Terre Neuve. Eh bien, cher à moi, j'ai alors fait voeu à la benoîte Vierge Marie de me consacrer tout entière à elle pendant une année, si elle épargnait mes jours.....

—Cela ne se peut! proféra le jeune homme.

—Vous en doutez, Étienne, c'est mal, bien mal! je vous croyais plus religieux!

Sa voix était altérée. Elle semblait pleurer.

—Oh! pardon! pardon, Constance! dit le pauvre garçon, complètement dupe de cette comédie.

La jeune fille ne répondit pas.

On arrivait à la maison de Jacques Cartier, où une table en fer à cheval avait été dressée dans la salle basse, le capitaine donnant régal, ce soir-là, à tous ses mariniers.

Constance, au lieu d'entrer par la porte du rez-de-chaussée, se glissa dans la cour, pour monter à sa chambre.

Étienne l'y voulut suivre. Elle l'arrêta sur le perron.

—Écoutez-moi, lui dit-elle. Rien ne saurait m'empêcher de rester fidèle à mon voeu. Je n'aurais qu'à en faire part à maître Jacques, pour qu'il m'encourageât à l'accomplir, loin de s'y opposer. Cependant, je désire que nul autre que vous ne soit dans le secret. Devrai-je me repentir de ma confiance? Parlez, Étienne.

—Mais un an! un an! faisait celui-ci avec des accents désolés.

—Oui, reprit-elle plus tendrement, en se penchant vers lui pour qu'il songeât à lui dérober un baiser; oui, je mets ton amour à l'épreuve, mon doux. Car ce n'est pas tout. Il faut que ce soit toi,—toi, entends-tu bien?—qui demandes à mon père la permission de retarder notre mariage...

—Oh! mais je ne pourrai jamais! s'écria-t-il, sans profiter de la faveur qu'elle lui offrait.

—Eh bien, monsieur, si vous ne pouvez jamais faire cela pour moi, moi je ne pourrai jamais vous épouser! répliqua-t-elle sèchement.

Puis, avec une feinte brusquerie, elle ouvrit la porte, et la referma après s'être introduite dans l'appartement.

Le malheureux Étienne demeura un moment atterré.

Ensuite, soucieux, rêveur, il descendit dans la salle, où toute la compagnie était déjà attablée.

Le menu du repas était simple, mais abondant. Des jambons cuits au four, d'énorme plats de fèves, et de châtaignes; des pâtés de boeuf et de lard; quelques cochons de lait rôtis à la broche le composaient. Pour l'arroser, du cidre et de la bière à bouche que veux-tu.

L'on mangea et l'on but, puis l'on chante des guerz, des sônes, des cantiques, tout le vieux répertoire breton. Dix heures venaient de sonner et les convives se disposaient à se retirer, quand les cris: «Au feu! au feu!» retentirent du dehors.

—Est-ce que je me trompe! s'écria le vieux Morbihan, qui était assis près de la porte.

—Non, car j'entends les varints qui tintent, répondit son voisin.

Cloche.

Jacques Cartier s'était déjà précipité sur la place.

—Mes amis, dit-il, en reparaissant au seuil de sa maison, mes amis, accourez! le feu est en ville. Allons prêter notre aide à ceux qui en ont besoin.

Le ciel s'illuminait de clartés lugubres.

Tous les hommes, sans exception, s'élancèrent à la suite de maître Jacques.

Des clameurs assourdissantes se mêlaient aux notes lentes et sinistres du tocsin.

Constance n'avait pas assisté au repas. Mais dès le premier signal de l'incendie, elle était venue dans la salle basse, où elle essayait de rassurer dame Catherine, qui tremblait comme la feuille du bouleau au souffle de la bise.

La porte du rez-de-chaussée était restée grande ouverte.

Subitement, un homme, le visage noirci comme celui d'un charbonnier, se jeta d'un bond dans la chambre. Sans mot dire, sans qu'on eût même songé à résister à son dessein, il enleva Constance dans ses bras et disparut avec la soudaineté de l'éclair.

CHAPITRE XI

LA PRISON

Principal accusé dans l'attaque du navire, Georges fut, sur le rapport de Jean Morbihan, logé en la tour Qui-Qu'en-Grogne. A ses deux complices on assigna pour prison la tour des Moulins. La première de ces tours se dressait en face de la maison de Cartier; la seconde regardait l'ancienne Digue ou chemin de Saint-Malo à Saint-Servan. A marée haute, le pied des tours plongeait dans l'eau; à marée basse, il était à sec.

Georges de Maisonneuve avait été enfermé dans une pièce circulaire, voûtée, fort élevée, tout de pierres de taille, dont une triple porte défendait l'entrée. Un pilier énorme soutenait les arceaux de la voûte à ogives. Une seule et profonde embrasure, en forme d'entonnoir, laissait filtrer la lumière dans le cachot. Large de deux pieds au dedans, ce trou n'avait pas plus de six pouces de diamètre au dehors. Des barreaux de fer entrecroisés étaient scellés dans la muraille intérieure, comme dans la muraille extérieure.

Dès qu'il se fut habitué à l'obscurité, presque complète, qui régnait en ce triste lieu, Georges en opéra la reconnaissance. Ce ne fut pas long. Nulle autre issue que les trois portes et le soupirail. Ce dernier à dix pieds du sol. Le reste, granit, granit partout. Cet inflexible horizon n'effraya pas trop, cependant, le chef des Tondeurs. Son esprit, comme son corps, avait été moulé avec du bronze. Tout de suite il songea à une évasion. Par l'embrasure, elle paraissait impraticable. Ce fut vers la porte qu'il dirigea d'abord son attention.

Cette première porte était épaisse, fortement garnie de plaques et de lames de fer. Mais les gonds saillaient sur les jambages. Georges eut un sourire d'espoir. S'il en était de même pour les deux autres portes, il ne serait pas longtemps privé de sa liberté.

Notre homme était garrotté avec de grosses cordes. Cependant jusqu'alors on ne l'avait pas jugé prisonnier d'assez d'importance pour l'enchaîner à un anneau de fer fixé dans le pilastre, au-dessus de la botte de paille qui devait lui servir de lit.

Georges s'assit sur cette botte de paille. Il se mit à réfléchir. Grâce à son déguisement, il pouvait se flatter qu'on ne reconnaîtrait pas en lui le terrible capitaine des Tondeurs. On ne l'avait jamais vu, dans Saint-Malo, qu'avec une chevelure et une barbe noires. Il était naturellement très-blond. Qui donc maintenant s'aviserait de le prendre pour le brillant cavalier qui donnait, hier encore, le ton à la ville? Quand même ils soupçonneraient son identité, ses compagnons de plaisirs n'auraient-ils pas intérêt à la nier? Est-il si plaisant d'avouer que l'on a été l'ami d'un coquin? Restaient les gens appréhendés en même temps que Georges. Ils étaient bien liés par un serment et par leur intérêt aussi. Mais la torture...

Ceux-là parleraient. C'eût été enfantillage, niaiserie d'en douter. Il fallait-ne pas perdre un instant et travailler activement à sa délivrance. Heureusement, Eric n'avait pas été pris. On pouvait compter sur son concours. Il était bien capable d'enlever le château par un coup de main, sinon de l'assiéger. De toute manière, Georges ne demeurerait pas longtemps sous les verrous.

Vers deux heures, on lui apporta une cruche remplie d'eau et un pain de sarrasin. Georges n'avait rien mangé depuis la veille. Il dévora cette grossière nourriture et fit un somme. La nuit venue, le captif pensa qu'il n'avait plus à redouter de visite. Alors, jetant bas sa coiffure, par un mouvement de la tête, et la ramassant ensuite avec ses mains dont les poignets seuls étaient attachés l'un contre l'autre, Georges en déchira la visière, qui était assez allongée, suivant la mode adoptée et répandue, en Bretagne, par le duc François II.

Cette visière renfermait un ressort et une lame d'acier tranchante.

Georges saisit la lame entre ses dents et coupa ses liens. Cela fait, de la semelle de ses chaussures, il retira deux fines limes,—l'une queue-de-rat, l'autre tiers-point,—et un mince caillou de silex. Dans ses braies, il trouva du linge à demi consumé et une rondelle de cerei ou bougie. Georges battit le briquet, alluma sa bougie.

Ces préparatifs terminés, il revint à la porte, l'inspecta avec un soin minutieux et se mit à scier les peintures.

Doucement, l'oreille aux aguets, mais rapidement, il poursuivait son opération, quand de sourdes rumeurs vinrent le distraire. Georges s'arrêta. Les rumeurs augmentaient. Il éteignit sa lumière. Mais, grande surprise, un flot de clarté jaillit aussitôt dans la prison, par le soupirail.

Le tintement lugubre des cloches et les cris; «Au feu! au feu!» devenaient distincts. Maisonneuve conjectura ce qui se passait.

—Mort de ma vie! proféra-t-il gaiement; je ne me trompe pas. Ce sont mes hommes qui ont préparé quelque incendie pour me tirer d'ici. Ils profiteront du trouble causé par cet incendie et envahiront le château. Décidément, cet Eric est un gaillard d'esprit! Mais, de la prudence, de la prudence! on ne sait trop ce qui peut arriver.

En se parlant ainsi, le chef des Tondeurs faisait, avec de la mie de pain, frotté sur la rouille, disparaître les traces de son travail. Puis il cachait ses limes et ses autres outils entre les pierres disjointes du pilier. De la mie de pain, plaquée en guise de mortier dans les fentes, achevait de les dérober aux regards. Et Maisonneuve s'étendait sur sa paille, après avoir, tant bien que mal, rattaché ses poignets avec un fragment de sa corde, dont l'autre bout fut fourré dans la litière.

Le bruit dura plus de deux grandes heures. Georges écoutait anxieusement. Aux vociférations se mêlèrent bientôt des détonations, un cliquetis d'armes. La réalité se substituait aux probabilités. C'étaient bien les Tondeurs qui attaquaient la ville. Éloignées d'abord, les détonations se rapprochèrent. Pendant un moment, il parut à Georges qu'elles avaient lieu dans la cour même du château. Il palpitait d'émotion, mais craignait de faire un mouvement.

Tout à coup, les lueurs qui l'éclairaient du dehors cessèrent de briller. Il retomba dans les ténèbres. Ensuite le tumulte s'apaisa. Georges sentit l'espérance l'abandonner. Le grincement d'une serrure lui rendit toutes ses fiévreuses incertitudes. A travers l'ombre épaisse, les yeux du jeune homme se fixèrent sur la porte. Après quelques minutes d'intervalle troublées par le crissement du fer sur le fer, cette porte s'ouvrit. Deux hommes parurent au seuil. L'un d'eux portait à la main une lanterne et un lourd trousseau de clefs.

—Au moins, dit-il, si nous perdons les deux autres, celui-ci nous reste.

—Ne prétend-on pas que c'est le chef de ces Soudards? demanda son compagnon.

—Ça leur chef! fit avec mépris le geôlier, en plaçant sa lanterne sous le visage de Georges.

—Ce n'est effectivement guère probable; nous le ferons examiner dans quelques jours, repartit l'autre, que Maisonneuve reconnut pour le gouverneur du château.

Après ces mots, les deux visiteurs se retirèrent. D'ailleurs, on avait dû redoubler de vigilance. Georges ajourna au lendemain soir la continuation de son entreprise. Mais le lendemain devait lui être fatal.

De bonne heure, un gardien entra dans son cachot et lui ordonna de le suivre. Maisonneuve devina ce qu'on voulait. Et il se repentit amèrement de n'avoir pas poursuivi, la veille, son audacieuse tentative; car il voyait bien qu'on allait lui faire subir un interrogatoire, le soumettre à la question. Mais les paroles du gouverneur l'avaient trompé.

Conduit dans le petit Donjon, on le fit descendre en une salle basse, étouffée, dont le sol se trouvait au-dessous du niveau de la mer. Cette salle, carrée, ne recevait d'air que par une étroite imposte. Plusieurs portes et un noir corridor en précédaient l'entrée.

Quand Maisonneuve fut introduit dans cette cave, une lampe et un brasier éclairaient ses sinistres profondeurs. On y respirait je ne sais quelle odeur écoeurante de graisse et de chairs grillées. Des instruments de supplice, des pinces, des tenailles, des chevalets, indiquaient tout de suite, au reste, sa destination horrible. C'était une chambre de torture. Elle était sourde aux bruits du dehors, mais elle était muette aux hurlements du dedans.

Il y avait là cinq hommes, d'aspect plus sombre, plus farouche l'un que l'autre: un juge-procureur, un greffier, un tourmenteur et son aide; un physicien ou médecin.

Le juge lisait un parchemin, le greffier taillait sa plume, le tourmenteur et son aide faisaient rougir des fers sur un réchaud; le physicien se chauffait les doigts à la flamme du réchaud.

Le juge s'adressa à Maisonneuve:

—Au nom du Père, du Fils et du Saint-Esprit, jurez de dire la vérité.

Georges ne répondit pas. Le procureur réitéra sa question.

Même silence.

—Écrivez, dit-il au greffier, que le prévenu, sommé de prêter le serment au nom de la Très-Sainte-Trinité, s'y refuse.

Se nant vers Georges:

—Vous faites partie de la bande des brigands dits les Tondeurs?

—Non, répondit froidement l'accusé.

—Vous mentez. Mais vous confesserez...

Le juge fit un signe aux bourreaux. Ils s'emparèrent de Georges, le dévêtirent complètement et l'étendirent sur un des chevalets.

C'était un fort plateau en bois, assujetti à des tréteaux, long de deux toises environ et large de deux pieds. A son extrémité supérieure, on voyait un moulinet, assez semblable à ceux dont se servent les rouliers pour consolider les fardeaux sur leurs voitures. A l'extrémité inférieure étaient plantés deux crampons.

Georges fut attaché, par les chevilles des pieds, à ces crampons; puis couché sur le chevalet, et, par ses bras étendus de toute leur longueur, fixé, avec des cordes, au cylindre du moulinet.

Le patient était calme, très-ferme. Le juge haussait les épaules et le tourmenteur souriait d'un air qui semblait dire: «L'imbécile! nous saurons bien lui délier la langue.»

Le physicien se chauffait toujours les doigts; quant au greffier, il rédigeait tranquillement son procès-verbal au bout du chevalet, dont il s'était fait une table.

La sérénité de ces gens était épouvantable.

—Allez! dit le procureur.

Le bourreau imprima un mouvement au moulinet. Les cordes se raidirent, les membres et le corps de l'inculpé aussi.

—Voulez-vous répondre à mes questions? reprit le Juge.

—Oui, dit Georges d'un ton assuré.

—Faites-vous partie de la bande des brigands dits les Tondeurs?

—Non.

Le juge cligna de l'oeil au tourmenteur. Aussitôt la roue de l'instrument opéra un tour. Les os du capitaine craquèrent. Son visage pâlit, s'altéra; des larmes jaillirent de ses paupières. Mais il ne proféra pas une plainte.

Le procureur renouvela impitoyablement sa question.

—Non, répondit Georges.

—Serrez d'un cran, dit le juge.

Son ordre fut exécuté.

Le corps du prévenu s'étira, s'effila; partout les côtes firent saillie; ses yeux se gonflèrent, lui sortirent de la tête. Il devint livide. Cependant aucun gémissement ne lui échappa.

—C'est un luron! dit le physicien d'un air connaisseur.

Pour la troisième fois, et de son même accent glacial, le juge demanda:

—Faites-vous partie de la bande des brigands dits les Tondeurs?

—Non, répliqua Maisonneuve d'une voix faible.

—Serrez d'un cran!

Le bourreau obéit. Le greffier leva la tête; ce stoïcisme commençait à l'intéresser. Quant au physicien, il était dans l'admiration.

L'épiderme du patient se couvrait d'une sueur abondante. Ses traits étaient affreusement contractés. Ses lèvres décolorées, ses prunelles ternes, immobiles dans leur orbite.

Flegmatiquement, le juge recommença sa monotone interrogation.

—Non, souffla Georges dans un soupir.

—Que dit-il?;

—Il nie toujours, fit le greffier.

—Curieux! curieux! très-curieux! cas exceptionnel! murmurait le médecin, en se penchant sur le moribond. Tiens, il a une peinture au-dessous du sein gauche. Drôle de peinture, tout de même; quatre poissons avec un coeur!...

—Peut-on continuer? dit le juge.

—Heu! heu! les battements du coeur baissent; le pouls est bas aussi, très-bas; la suffocation bien avancée. Mieux vaudrait, je crois, lui accorder quelques minutes de répit.

—Est-il encore capable de comprendre et d'articuler un son?

—Comprendre? heu! c'est douteux!... articuler un son? je ne sais trop.

--Serrez d'un demi-cran, commanda le procureur.

On serra d'un demi-cran, et il réitéra sa question.

Mais, cette fois, pas de réponse. La dernière lueur de force morale du misérable capitaine s'était éteinte avec la dernière lueur apparente de sa force physique.

—C'est trop! c'est trop! desserrez la machine, s'interposa le médecin, en versant dans la bouche du supplicié quelques gouttes d'un cordial des plus stimulants.

L'exécuteur lâcha sa manivelle. Maisonneuve reprit promptement ses sens.

—Je vous pose ma seconde question, lui dit le juge. Vous reconnaissez-vous l'auteur de l'assassinat d'un marinier à bord du brig de maître Jacques Cartier?

—Non.

—Vous m'avez bien entendu?

—Oui.

—Je vais faire exposer vos pieds au feu.

L'aide du bourreau saisit dans le brasier, avec des pinces, une plaque de fer rouge, et la maintint à un pouce environ de la plante des pieds de cet infortuné.

—Avouez, dit le juge.

Georges fut vaincu par l'excès de la douleur. Il poussa un cri aigu, et s'évanouit de nouveau.

—C'est assez pour aujourd'hui, à moins que vous ne vouliez le tuer; car c'est un luron, un vrai luron, disait complaisamment le physicien, en faisant revenir le jeune homme à lui.

Dès qu'il eut recouvré la connaissance, le greffier lui lut son procès-verbal et lui demanda s'il savait signer. Georges répondit négativement. Le scribe inscrivit cette réponse sur son dossier. Le juge et le médecin y apposèrent leur paraphe et le captif fat rapporté dans son cachot.

Son corps était rompu, brisé. Bien des jours devaient s'écouler avant qu'il pût refaire usage de ses membres. Peut-être même resterait-il estropié; car le feu avait profondément entamé les chairs de ses pieds. Mais son esprit n'avait presque rien perdu de l'élasticité qui lui était propre. En peu de temps, il eut retrouvé sa puissante énergie.

Cependant, Georges avait fait une remarque rien moins qu'encourageante, en se rendant à la salle de la question: c'est que les gonds de la première et de la seconde porte de sa prison étaient scellés extérieurement, et, de plus, que ces deux portes s'ouvraient en dehors, au lieu de s'ouvrir en dedans, comme la troisième, de telle sorte que, si, du cachot, l'on parvenait à forcer la seconde porte, le battant retombait sur la première, dont il doublait, dès lors, les difficultés d'effraction.

Il fallait donc renoncer à une tentative d'évasion par cette voie.

Durant les longs jours qu'il passa couché sur la paille, Georges rumina bien des projets. Néanmoins, au mois de décembre il ne s'était encore arrêté à aucun. Deux choses l'étonnaient et le contrariaient. Il n'avait point de nouvelles de sa bande, point de nouvelles de Constance. Il n'était pourtant séparé de celle-ci que par un bien court intervalle. Car il n'y avait pas cent pas de la tour Qui-Qu'en-Grogne à la maison de Jacques Cartier! Son gardien se montrait insondable, incorruptible. De même le physicien qui lui donnait des soins.

Savoir attendre, c'est la science de la vie. Le bandit-gentilhomme savait attendre. Toutefois il craignait que, de nouveau, on ne le soumit à la torture, pour le conduire ensuite au dernier supplice. Mais, fort heureusement les autorités judiciaires étaient alors partagées en deux camps, à Saint-Malo: l'un sous les ordres de l'évêché; l'autre sous les ordres du lieutenant du roi. La juridiction ecclésiastique, s'appuyant sur ses anciens privilèges, réclamait l'accusé; la juridiction laïque prétendait le garder, les crimes qu'il avait commis étant, alléguait-elle, de son ressort à elle. De là une fastidieuse contestation qui pouvait fort bien traîner jusqu'à ce que le misérable qu'elle concernait s'en allât naturellement de vie à trépas.

Mais cette contestation fut profitable au chef des Tondeurs. Il lui dut d'échapper à de nouvelles tortures et, probablement, à la mort.

Vers la fin de décembre, sa guérison entrait dans une bonne voie. Ses articulations avaient repris leur flexibilité, leur jeu. Il ne souffrait plus que de ses plaies aux pieds. Elles l'empêchaient de marcher, même de se tenir debout.

On sait que c'est encore la généreuse coutume pour les dames charitables, dans beaucoup de nos villes, de faire, aux grandes fêtes chrétiennes de l'année, une sorte de pèlerinage dans les prisons et de distribuer quelques douceurs aux captifs.

A la Noël, Georges vit s'ouvrir son cachot d'une manière inusitée. Il fut visité par une foule de personnes, qu'il connaissait pour la plupart, mais qui ne le reconnurent pas. Son coeur battait chaque fois que les portes criaient sur leurs gonds. Enfin, dans l'après-midi, comme le jour baissait et comme l'ombre envahissait sa mélancolique demeure, trois femmes arrivèrent. Georges, tout de suite, se dit que Constance était l'une de ces femmes. Et Constance découvrit que c'était lui, à travers le» ténèbres et sous son déguisement.

Tandis que dame Catherine adressait,—suivant l'usage,—quelques paroles de sympathie au prisonnier et que la vieille Manon déposait près de lui un petit paquet de provisions, Constance, d'une main tremblante, laissait furtivement tomber, sur sa pauvre couche, un papier qu'elle avait roulé sous ses doigts.

Puis elles sortirent toutes trois, Constance la dernière. Était-ce un rêve? une de ces hallucinations auxquelles Georges avait été si souvent en proie depuis son incarcération? Mais non. Le papier était là. Georges le sentait. Il le serrait de toute sa force; il avait peur qu'il ne lui échappât, qu'il ne s'évanouit. Comme il lui tardait de le déplier, d'en lire le contenu! Par malheur, on ne voyait plus assez clair dans la prison; et le moment d'allumer une bougie n'était pas venu. Quelqu'un pouvait entrer encore dans le cachot. Longues, éternelles furent les heures qui suivirent; car nous mesurons le temps plus avec nos impressions qu'avec notre raisonnement.

Mais, le couvre-feu sonné, les rondes n'étaient plus à redouter. Georges fit de la lumière et déroula le billet. Il contenait un écheveau de soie, et ces mots seulement:

«Demain ou après, minuit; on attendra au pied de la tour.»

—Ah! s'écria le jeune homme, je suis sauvé!

Cette nuit-là il dormit d'un sommeil profond.

Le lendemain, Georges se fit une plume d'un tuyau de paille, s'incisa légèrement le doigt et écrivit à Constance, sur le billet qu'il en avait reçu. Il raconta ses souffrances, peignit son état, demanda indirectement des informations sur ses gens; puis une corde, des limes, de l'encre, du papier; il termina en recommandant la prudence.

Ensuite il mit une petite pierre dans le billet, les enveloppa avec un chiffon, attacha le tout à l'extrémité du fil de soie et s'exerça à le lancer, par les barreaux, à travers la meurtrière.

Quand il fut sûr de réussir, il attendit l'heure désignée.

A minuit, le fil glissait sur la paroi extérieure de la tour. Georges retenait l'autre extrémité. Vingt minutes s'écoulèrent. Le prisonnier perçut une traction du dehors. Ce signal était facile à interpréter. Georges ramena le fil à lui. Bientôt il eut entre les mains une corde, une lettre, et les objets nécessaires pour écrire. La corde était un franc-funin, de grosseur médiocre, mais d'une grande force de résistance. Elle avait quelque cinquante pieds en longueur.

Georges la cacha sous sa paille, se proposant de soulever dès qu'il pourrait une pierre du dallage pour la fourrer dessous.

Dans la lettre, frémissante de passion exaltée, Constance lui mandait, en termes couverts, que, le soir de son arrestation, les Tondeurs avaient mis le feu à la ville, sans doute pour essayer de briser ses fers. Pendant la confusion, ils avaient escaladé la courtine du château, près de la tour des Moulins, délivré ses deux camarades, et ils le cherchaient, en se battant vaillamment, lorsque les gardes étaient parvenus à les repousser. Depuis lors, les Tondeurs semblaient s'être éloignés de Saint-Malo, car l'on n'entendait plus parler d'eux. Tout le monde ignorait, d'ailleurs, qu'il fût leur chef. Son hôtel était fermé. On le disait parti pour un voyage lointain. Quant à elle, pendant l'incendie, on avait tenté de l'enlever. Un homme déguisé, inconnu, avait profité de ce qu'elle était seule avec sa mère, à la maison, pour se jeter sur Constance et l'emporter dans ses bras. Il l'avait conduite à la Grande-Conchée, dans la caverne de la sorcière Maharite, où, succombant à ses émotions, elle était tombée gravement malade. Maharite la ramena chez ses parents. De nouveau, elle fut prise de la fièvre, du délire. Présentement, sa santé se rétablissait heureusement. Elle ferait le possible et l'impossible pour arracher Georges à son odieuse captivité. Il pouvait compter sur le dévouement le plus absolu. Elle n'avait pas revu son ravisseur.

—C'est Eric! ce brave Eric! murmura Georges. Il voulait, tout à la fois, me rendre la liberté et une maîtresse adorable! Oh! je récompenserai sa fidélité.

CHAPITRE XII

TENTATIVE D'ÉVASION

A dater de cette nuit s'engagea entre Constance et Georges une correspondance active. Pour intermédiaire, cette correspondance eut le gourmette Lucas. Depuis longtemps, il était gagné aux intérêts des deux jeunes gens. Les libéralités de Georges, les caresses de Constance en avaient fait un messager fidèle. Au surplus, il ne savait de Maisonneuve que ce que l'on eu savait généralement à Saint-Malo. En cette circonstance, il ignorait même qu'il le servit personnellement. Constance avait dit à Lucas qu'il s'agissait d'un prisonnier politique pour qui messire de Maisonneuve nourrissait de l'attachement. Elle avait appuyé sa confidence d'un beau sol parisis, tout neuf, avec promesse d'autres récompenses, et le gourmette se montrait enchanté de la mission à lui confiée. Elle n'était cependant pas sans difficulté ni péril cette mission. Il fallait, durant les nuits sombres et à marée basse, descendre, par une ancienne brèche, dans les douves du château. Mais, comme ces douves n'étaient jamais entièrement à sec, il fallait encore jeter une planche entre la contrescarpe et le contrefort du bas de la tour, puis s'avancer sur ce pont volant, recevoir les billets envoyés de l'intérieur de Qui-Qu'en-Grogne, les transmettre au moyen d'une cordelle à Constance, qui attendait ordinairement à la fenêtre de sa chambre, et rapporter la réponse.

On avait à craindre, et les sentinelles postées sur les deux donjons, et la surprise d'un passant ou d'un pêcheur.

Rien, toutefois, pendant deux mois, ne troubla cette intrigue. Constance déplorait amèrement le temps que la maladie de Georges leur faisait perdre. Car son évasion était arrêtée, méditée avec soin et paraissait présenter toute chance de succès. Mais, aussi, la jeune fille, devenue superstitieuse, pensait à un concours secret de la Providence. Sa mystérieuse liaison ne semblait pas soupçonnée. Maître Jacques, tout occupé du projet d'une expédition nouvelle, dont il avait obtenu l'autorisation par Lettres patentes, en date du «pénultième jour d'octobre, l'an ,» maître Jacques avait bien trop à faire pour surveiller Constance. Étienne Noël s'était bénévolement prêté au désir de la jeune fille. On avait remis le mariage à l'automne prochain.

Peut-être les agitations de Constance, ses inquiétudes, ses tressaillements sans motif apparent, ses fréquentes promenades devant le château, sa dévotion subite avaient-elles excité l'attention de Catherine. Mais la bonne dame était trop timide pour en chercher la cause; trop réservée pour faire part de ses appréhensions, si elle en avait conçu. Tout allait donc, autant que possible, pour le mieux.

Emportée par la passion, Constance s'était même plusieurs fois, vers minuit, à descendre de sa chambre,—ce qui lui était maintenant facile, la femme de Cartier habitant le rez-de-chaussée depuis le de son mari,—et à se rendre sur la chancelante passerelle jusqu'au pied de la tour pour toucher le fil qui la mettait en communication avec Georges. C'était pour elle des moments d'extase, ses seuls moments de bonheur. Un courant électrique s'établissait, vraiment, entre le prisonnier et la jeune fille. Constance sentait son amant, elle lui parlait, elle entendait sa voix. Pour eux, les murailles épaisses n'existaient plus, car lui aussi il savait qu'elle était là: il la voyait, il l'entretenait avec ardeur de leur amour, de ses espérances.

Si Georges l'eût permis, la fougueuse Constance y fût venue presque chaque nuit, à cet étrange rendez-vous. Mais il était prudent; il la voulait prudente.

Au commencement de février, ses plaies se trouvaient cicatrisées. Il chercha à réaliser son projet d'évasion. D'abord il lima les barreaux extérieurs de la meurtrière. Pour s'élever jusqu'à leur hauteur, il enfonçait des tiges de fer dans les joints de la muraille. Avec de la mie de pain, couverte de rouille, il masquait les progrès de son travail.

Ce travail exécuté, il ne recula point devant l'idée de déplacer un des énormes blocs de granit dans lesquels était percée la meurtrière. Après avoir aisément descellé le grillage extérieur, Georges se mit à l'oeuvre.

Constance lui avait procuré quelques-uns des outils nécessaires: des ciseaux à froid, des leviers de petite dimension, mais de grande force; des coins, et jusqu'à une poulie pour descendre, sans bruit, la pierre dans le cachot dès qu'elle serait détachée de son emboîtement.

Silencieusement, Georges besoignait la nuit; le jour il se reposait, après avoir serré ses instruments sous une dalle du cachot. Il dépensa près d'un mois à faire jouer la pierre de taille dans son alvéole. Il était brisé de lassitude. Les plaies se rouvraient à ses pieds, endoloris par les pénibles stations auxquelles il les soumettait sur d'étroites lamelles de fer, et quoiqu'il eût soin de garnir ses chaussures avec des tresses de paille. Ses mains, gonflées, couvertes d'ampoules, saignaient aussi. Ses vêtements tombaient en lambeaux. Mais il n'y avait pas de temps à perdre. Ne pouvait-on à toute minute le venir prendre pour le conduire au supplice? La vie, la liberté d'un côté, la torture, la mort de l'autre sont des artisans de courage indomptables. Ils expliquent les prodiges d'un Latude ou d'un baron de Trenck.

Un matin, Georges, en se jetant sur son grabat, murmura: «Enfin! à ce soir.»

Toutes les mesures étaient prises. La pierre remuait, à volonté, dans son encastrement. Après l'avoir ébranlée, le captif était parvenu à introduire, dessous le bloc, cinq ou six morceaux d'acier ronds, gros comme des tuyaux de plume. Son intention était de les utiliser comme rouleaux, et ils fonctionnaient très-bien. Sans grand effort, on pouvait chasser la pierre du dehors au dedans du cachot, avec le bras allongé à travers la meurtrière.

Cette pierre enlevée, Georges passait par l'ouverture qu'il avait, si laborieusement faite, se glissait le long d'une corde, au pied de la tour, et joignait Constance, à quelques pas, sous le portail de Saint-Thomas.

Ils se rendaient à sa maison, dont Georges avait une clef cousue dans la doublure de chacun de ses déguisements; ils y prenaient deux costumes d'homme, de l'or, descendaient sur la grève par le souterrain, s'emparaient de la première barque venue et gagnaient la pointe de Dinard, où le jeune homme connaissait une retraite sûre. De là, ils se réfugieraient en Écosse, aussitôt qu'une occasion se présenterait.

Les choses étaient sagement prévues, sagement combinées. La nuit suivante n'aurait pas de lune. On était dans la saison des brouillards. Et, depuis vingt-quatre heures, une brume épaisse flottait sur la ville. Il était peu probable qu'elle se dissipât durant la journée ou la soirée prochaine.

Néanmoins, malgré toutes ces précautions, toutes ces chances favorables, le chef des Tondeurs souffrait d'une anxiété extrême. Il était pris du fièvre. Il n'avait pas de repos. Sur sa couche, il se trouvait mal à l'aise. Debout, le pavé lui brûlait les pieds. Ses sens étaient maladivement éveillés. Il percevait les moindres sons. Ces sons, si légers qu'ils fussent, lui causaient les plus douloureux frémissements. En dépit de la pénombre, il voyait distinctement les rayures que la lime avait faites aux grilles; les interstices,—si habilement dissimulés pourtant,—produits par le descellement de la pierre, apparaissaient à ses regards, comme de larges crevasses béantes, qui devaient fatalement sauter aux yeux de quiconque entrerait dans la prison.

Quand arriva le gardien, apportant sa maigre pitance ordinaire, Georges tremblait si fort que cet homme, saisi de compassion, proposa de lui envoyer le physicien.

On pense bien que notre captif refusa cette faveur.

—Pauvre diable! murmura l'honnête porte-clefs en se retirant, il n'en a pas pour longtemps à vivre!

Dès que le couvre-feu eut sonné, Georges termina rapidement ses derniers préparatifs.

Le dessus de la meurtrière était formé par un lourd et long linteau, qui s'étendait fort avant, de chaque côté, dans la muraille. Dans l'entre-deux de ce linteau avec les pierres supérieures, Georges fixa sa poulie. Puis, appuyant par l'embrasure sa main droite sur la face externe du bloc, rendu mobile, il l'attira à lui. Le monolithe obéit à la traction. Quand il eut dépassé, de moitié, la paroi intérieure du mur, Georges attacha une corde dont le bout, passé dans la gorge de la poulie; fut solidement amarré au pilier du cachot.

Notre homme alors acheva d'extraire le bloc de sa cavité; et, défaisant le noeud de la corde, il affala doucement l'énorme pierre, à l'aide du pilier autour duquel s'enroulait deux fois la corde et dont il se servait comme d'un cabestan pour empêcher le fardeau de choir tout d'un coup.

Cette rude tâche finie, le prisonnier eut comme un sentiment d'effroi. L'air entrait à flots par une ouverture de dix pieds carrés.

Georges éteignit la bougie qu'imprudemment il avait oublié de souffler.

Bientôt le jeune homme se remit. Il empoigna la corde arrêtée à la pierre, se coula par l'ouverture et opéra sa descente, après avoir emmailloté ses mains dans des chiffons, afin de ne les pas brûler par le frottement.

Un brouillard très-dense le protégeait. Quelques minutes encore et la liberté lui sourirait dans les bras et par le visage de la plus charmante des maîtresses.

Déjà Georges avait le pied sur la planche de salut. A travers les vapeurs, il distinguait Lucas, assis, faisant le guet sur le revers du fossé, quand un cliquetis d'armes et un bruit de pas se firent entendre.

Le gourmette prit aussitôt la fuite. Georges plongea résolument dans la douve; mais elle était peu profonde. La garde du château avait aperçu le malheureux. Malgré une résistance acharnée, il ne tarda pas à être réintégré dans la forteresse.

On l'enferma, accablé par la lutte qu'il avait soutenue, désespéré de son échec, dans une des logettes du Grand Donjon, à quelque cent pieds au-dessus du niveau de la mer.

Lucas s'était hâté de prévenir Constance; et la pauvre fille, non moins désespérée, était remontée à sa chambre, sans avoir remarqué qu'un homme, posté dans l'ombre au coin de la maison, observait ses mouvements. Le gourmette allait à son tour remonter à la soupente où il couchait dans le grenier, lorsque cet homme le happa au passage.

—Terr i ben! à nous deux, mon gars!

—Oh! monsieur Jean, mon bon monsieur Jean, ne me faites pas de mal; pour l'amour du doux Jésus, ne me faites pas de mal! supplia Lucas tremblant d'épouvante.

—Méchant vaurien! dit le vieux timonier d'une voix sourde; c'est comme ça que tu trompes la confiance de ton maître... lui qui t'a généreusement recueilli...

—Je ne le ferai plus, je ne le ferai plus, monsieur Jean.

—Tais-toi et écoute bien ce que j'ai à te dire... A compter de maintenant, tu m'appartiens. Je veux que, chaque jour, tu me fasses un rapport de ce que t'ordonnera mademoiselle Constance. Si tu y manques ou si tu essaies de me tromper... je me charge de ta punition, entends-tu!... Et pas un mot, à qui que ce soit, de ce qui s'est passé ce soir, sinon!...

—Je vous jure, monsieur Jean!...

—Assez! va te coucher!

Le gourmette ne se fit pas répéter cet ordre. En un clin d'oeil, il fut en haut de l'escalier.

Jean Morbihan le suivit, rentra doucement dans la maison, et, enfilant un long corridor, il gagna une petite pièce qu'il occupait au premier étage, derrière celle de Constance.

—Min Gieu! il était temps! murmura le bonhomme en fermant l'étroite croisée de cette pièce qui donnait en face de la tour Qui-Qu'en-Grogne. Par bonheur, je faisais vigilante garde! Autrement les deux oiseaux s'envolaient; da oui! En ai-je passé des nuits blanches, depuis trois mois! Sans cette fenêtre, c'était fini. La colombe filait avec le milan; mais le père Jean n'est pas un novice. Ce n'est pas à lui qu'on en conte. Quand j'ai vu ma Constance, tantôt nuageuse comme une tempête, tantôt souriante comme un rayon de soleil, j'ai deviné qu'il y avait anguille sous roche. Elle se levait tard, la demoiselle! Autrefois elle était éveillée dès l'aurore; donc, elle devait se coucher tard. Pourquoi qu'elle se couchait tard? Ma foi! je l'ai espionnée. Ce n'est pas un beau métier; mais n'est-ce pas moi qui l'ai élevée? Min Gieu, oui! Elle-est ma fille, après tout. J'ai eu raison. En voici la preuve. Je me doutais bien que ça en arriverait là. Hier, elle était inquiète, remuante comme une poule qui a perdu ses poussins. Oh! oh! me suis-je dit, Jean, mon ami, faut redoubler d'attention. On veut te jouer un tour de passe-passe. Ne va pas t'endormir comme le jour où ce malheureux Yvon... Ah! sans ma paresse, ma maudite paresse, il n'aurait pas été tué... Je ne me pardonnerai jamais sa mort, da non! Enfin, messire l'archi-prêtre de Saint-Sauveur dit toutes les semaines une messe pour le repos de son âme! Mais, cette Constance! quelle endêvée!... et ce polisson de Lucas!... J'aurais peut-être du mettre, dès l'abord, un terme à leurs manigances!... Il eût été mieux d'avertir maître Jacques! Après tout, pourquoi lui faire de la peine? n'a-t-il pas assez de tracas? Constance aurait été vertement tancée aussi... par ma faute!... Moi qui l'aime tant! Ah! je n'aurais pu me résoudre à lui causer de nouveaux chagrins. D'ailleurs, maître Cartier n'a-t-il pas obtenu la permission d'embarquer avec lui des prisonniers, à notre prochain voyage? Je manoeuvrerai de façon qu'on comprendra le brigand parmi ces prisonniers! Et, quand il sera parti, ma Constance se consolera... Ah! les femmes! les femmes!... S'énamourer d'un soudard! Y a-t-il du bon sens! je vous demande un peu! Que tu as bienfait de ne pas te marier, mon pauvre Morbihan!... Cette petite fille, on lui donnerait le bon Gieu sans confession! et paf! elle allait décamper! Mais je veillais au grain! Et lorsque je l'ai entendue débouquer de sa chambre, ce soir, je me suis glissé à pas de loup derrière elle. Grâce au brouillard, elle ne m'a pas aperçu. Elle s'est cachée sous le portail de Saint-Thomas. Cela signifiait quelque chose. D'autant mieux que, de ma fenêtre, j'avais déjà vu le gourmette se placer en vigie vers le fossé du Château. Ah bien! on n'enseigne pas à un vieux renard à prendre les poules. Je me guindé sur le rempart, et qu'est-ce que je distingue? un homme qui déboulait de Qui-Qu'en-Grogne par un trou... Ah! ah! on te connaît, beau calfat... En une minute je suis au corps de garde du pont-levis et j'ai prévenu le chef du poste... Bonne affaire, mon échappé est gobé, min Gieu, oui! Constance ne saura pas que c'est moi... Bah! dans un mois ou six semaines nous mènerons son galant faire la cour aux sauvagesses...

Le brave timonier, qui s'était jeté sur son branle, sourit et s'endormit, en s'adressant cette consolante réflexion.

Le jour suivant, Constance ne descendit pas déjeuner. La vieille Manon annonça qu'elle était indisposée. Cette information ne surprit personne, la jeune fille demeurant souvent au lit fort avant dans la matinée, depuis sa dernière maladie.

—Ce ne sera qu'une indisposition; mais j'ai une excellente nouvelle à te donner; par ma Catherine, une excellente nouvelle! dit Jacques Cartier à Morbihan; ces messieurs les notables s'assemblent aujourd'hui à la baie Saint-Jean, afin d'y faire lecture des Lettres Patentes que m'a octroyées Monseigneur l'Amiral, et pour fixer le jour de notre départ.

—Le plus tôt sera le mieux, maître! Embarquerons-nous des prisonniers?

—Oui, une vingtaine qui sont au château. J'ai permission particulière de les établir sur les terres neuves. Et à propos des prisonniers, tu sais, Jean?

—Quoi donc? répondit ingénuement le timonier.

—Mais le tien a failli s'évader!

—Le mien? l'assassin d'Yvon?...

—Lui-même. Mais on l'a ressaisi, au moment où il sortait de son cachot par une énorme ouverture qu'on voit très-bien du haut des fortifications. Ça doit être un fier homme!

—L'emmènerons-nous aussi, maître Jacques?

—Si tu y tiens. J'ai le droit de choisir.

—Min Gieu! choisissez-le alors!

—Tu lui en veux toujours? dit Cartier en souriant.

—C'est le meurtrier de ce pauvre Yvon, que...

—Encore ta vieille histoire!

—Vous le prendrez, n'est-ce pas, maître Jacques?

—Mais oui. Il me faut des compagnons solides. Et il doit l'être, si j'en juge par ce qu'il a tenté la nuit dernière!

—Pour ça, c'est un rude compère, je vous le garantis. Quand je l'attrapai par le cou, et que je l'étranglai, il n'en parvint pas moins à me renverser sur le tillac...

—Bon, bon, dit Cartier en riant, nous prendrons ton protégé à bord. Tâche cependant qu'il ne cherche pas à se venger de toi.

—Soyez tranquille, maître, je me charge de lui. Mais je vais vous faire une prière.

—Une prière, toi? Elle est exaucée. Va!

—Ne dites pas, devant dame Catherine ou Constance, que nous emmenons cet homme.

—Quel intérêt Catherine et Constance...

—Oh! des bêtises de femme! Je crois qu'elles l'ont visité à la Noël dernière et qu'elles s'apitoient sur son sort; qu'elles prétendent l'amener à résipiscence!

—Ce n'est que cela?

—Da oui! répondit Jean, qui ajouta à part soi: Min Gieu! que de mensonges j'ai faits depuis hier soir, moi qui les déteste tant! Oh! je m'en confesserai, pour le certain.

Cartier reprit gaiement:

—Tu les gâtes toujours, nos dames. Eh bien! pour te faire plaisir, on ne leur en parlera pas.

—Mais si elles vous en parlent?

—Cela te tient donc terriblement au coeur! Ah! quel chevalier courtois tu fais, à ton âge, vieux Jean! Pour éviter un bobo à ta Constance ou à ma Catherine, tu te mettrais au feu!

—Min Gieu, oui!

—Rassure-toi; si elles m'interrogent, je répondrai que leur favori—et Cartier se prit à rire—ne figure pas sur mon rôle d'équipage. Es-tu content?

—Merci, maître Jacques, merci; je compte sur votre parole!

Cette causerie avait eu lieu sur le pas de la porte, tandis que dame Catherine et sa servante apprêtaient le déjeuner. Après le repas, Cartier et Jean Morbihan sortirent: le premier, pour se rendre à la réunion de la baie Saint-Jean; le second, pour aller faire un tour dans le port.

La femme de Cartier monta aussitôt près de Constance. Elle trouva la jeune fille à sa toilette.

—Je te croyais malade!

—Oh! un peu de migraine que le grand air dissipera, répondit Constance d'un ton très-dégagé.

Dame Catherine l'embrassa tendrement.

—Tantôt, dit-elle, nous irons nous promener avec Étienne. Il nous montrera les trois navires que le Roi a mis à la disposition de ton père.

—Bien volontiers! Ah! ce bon Étienne, comme je suis marrie de le voir partir encore...

—Ma fille, dit affectueusement Catherine, cela t'apprendra à faire des voeux imprudents. Si tu ne t'étais pas consacrée pour un an à la sainte Vierge, lors...

—C'est à elle que je dois mon salut!

—Je sais, mon enfant, je sais; aussi ne te fais-je pas un reproche de ton action... mais, patiente! La patience est une grande vertu. Leur voyage ne durera que quelques mois! L'automne prochain tu épouseras cet excellent Étienne, qui t'aime plus que je ne saurais dire.

—Et moi, penses-tu que je ne l'aime pas?

—Oui, j'en suis sûre maintenant, bien sûre, répliqua dame Catherine, complètement dupe de l'artificieuse jeune fille.

Celle-ci avait réfléchi pendant la nuit et conçu un nouveau plan pour sauver son Georges. Il était besoin de ruser, elle ruserait; d'attendre le départ de maître Cartier, elle attendrait. Constance fut admirable de résignation, d'empire sur elle-même. Elle semblait même prise d'un amour sincère pour son cousin Étienne Noël. La volonté des femmes est à celle des hommes comme la goutte d'eau qui tombe incessamment sur le granit est à l'onde tout d'un coup épanchée sur lui. Celle-ci brille, mais n'entame pas; l'autre use, creuse, sans se laisser apercevoir.

Tout le monde était enchanté, à l'exception de Jean Morbihan, qui ne revenait pas de son étourdissement.

—Il se brasse quelque chose dans cette petite tête-là; bien malin qui arracherait cette idée de ma vieille caboche, da non! marmottait-il, en regardant, dans l'après-midi. Constance qui trottinait gaiement au bras d'Étienne.

On était au mardi de la Semaine-Sainte.

Le vendredi, entre l'office du matin et celui du soir, Constance proposa à dame Catherine de visiter les prisonniers. C'était l'intention de celle-ci. Après avoir porté leurs consolations dans plusieurs cachots, Constance, bravement, demanda au gardien ce qu'était devenu le malheureux qui avait tenté de s'évader.

—Ah! dit le porte-clefs, ce brigand, qui a failli me faire perdre ma place! Il est au secret, là-haut!—et l'homme indiqua d'un geste le sombre donjon;—oui, au secret, par ordre de M. Jehan le Juiff, lieutenant du connétable. Oh! son affaire est claire! Pendu haut et court. Ce n'est pas moi qui le plaindrai!...

Constance sut dissimuler. Elle dissimula pendant les cinquante jours qui séparent Pâques de la Pentecôte.

Ce dimanche-là, le de mai, elle communia avec toute la famille de Cartier et les équipages de celui-ci, qui appareillait et devait lever l'ancre dès que le vent serait favorable. L'imposante cérémonie avait été célébrée, dans la cathédrale de la ville, par le «révérend père en Dieu, M. de Saint-Malo (François Bohier), lequel, dit la Relation de maître Jacques, nous donna, en son état épiscopal, sa bénédiction, au choeur de ladite église.»

Depuis le Vendredi-Saint, Constance n'avait fait aucune demande pour revisiter les prisonniers. Elle savait que Jacques Cartier en emmenait une vingtaine avec lui. Mais elle se croyait certaine que Georges ne figurait pas sur la liste; car, cédant à ses instances, Étienne lui avait montré le rôle d'équipage;

et les vingt individus désignés pour la transportation étaient des voleurs au petit-pied, récemment arrêtés, dont pas un n'avait même le prénom de Georges.

Elle n'avait pu communiquer d'aucune manière avec lui. Mais Lucas s'était adroitement lié avec le fils d'un des gardiens du château. Il le faisait causer; et, l'enfant répétant ce qu'il entendait dire chez ses parente, Constance avait appris que la santé de Georges était assez bonne.

Dernièrement, la discipline s'était relâchée à son égard. On lui permettait de se promener, une heure on deux, dans une vaste salle, au-dessous de son cachot.

Constance comptait sur la solennité de la Pentecôte pour essayer de le voir. Son espoir, cette fois, ne fut pas déçu.

Après vêpres, elle se rendit au Château avec Catherine et Manon qui portait un panier de provisions pour les détenus. Ce panier fut l'objet d'un examen sévère. On n'y découvrit rien de suspect.

—Voulez-vous grimper au Grand Donjon, mesdames demanda le geôlier, après les avoir conduites dans les chambres inférieures.

—Vous y avez des prisonniers? fit Catherine.

—Un seul. C'est celui qui a tenté cette fameuse évasion... Si vous souhaitez de le voir.

—Oh! j'irais, volontiers, faire un tour sur le Grand Donjon, s'écria Constance. On y jouit d'une vue admirable!

—Va, mon enfant. Mais moi je t'attendrai en bas, je suis lasse. Manon restera avec moi. Ses jambes ne lui permettraient pas non plus une pareille ascension.

—Alors, dit gaiement Constance, je porterai moi-même à ce pauvre prisonnier le reste de nos provisions!

Elle prit le panier et suivit le gardien, qui déjà gravissait l'escalier en spirale du Grand Donjon. Ils montèrent, montèrent, traversèrent de vastes salles, hérissées d'armes blanches, d'arquebuses et de canons. L'escalier, de spacieux et commode qu'il était à son point de départ, se rétrécit. Il devint sombre, presque noir, malaisé. Une seule personne y pouvait circuler. Le porte-clefs allait le premier, Constance, oppressée, haletante, venait péniblement derrière lui. On ne voyait même pas pour se conduire dans cet affreux dédale.

Le geôlier s'arrêta. Il ouvrit une double porte, dans un embrasement assez profond; et, se retirant sur une marche supérieure, pour faire place à Constance:

—Mademoiselle, c'est là qu'est notre prisonnier! dit-il en montrant un trou, long de six pieds, large de quatre, qu'éclairait un autre trou de six pouces carrés.

Ces cachots existent encore dans le donjon du château de Saint-Malo.

—Ah! mon Dieu! s'exclama Constance épouvantée...

Un fracas de chaînes résonna lugubrement.

—Oh! n'ayez pas peur, mademoiselle, dit le gardien en ricanant. Cette fois le scélérat ne se sauvera pas! J'en répondrais sur ma tête!

Une sorte de fantôme apparaissait dans l'ombre. La jeune fille et le spectre échangèrent un regard, un seul! Ils y puisèrent la vie.

—Tenez, pauvre homme, et que le bon Dieu vous protège! dit Constance en lui offrant de la viande et des fruits tirés de son panier.

Sa main gauche s'approcha des lèvres de Georges, qui la baisa passionnément. Mais, en même temps, sa droite, prestement, retirait de dessous sa basquine divers objets qu'elle lançait dans le cachot.

Le geôlier ne pouvait voir; car il était, comme nous l'avons dit, debout sur un degré supérieur, et Constance, quoique très-mince, occupait, avec ses amples vertugadins, toute la baie de la porte de la cellule, pratiquée dans la cage même de l'escalier.

Ce mouvement avait, d'ailleurs, duré moins de temps que l'on n'en met pour le décrire.

Constance retira sa main, ramassa son panier et se glissa sur la marche inférieure afin que le gardien pût refermer ses portes.

—Si vous désirez monter jusqu'au sommet de la tour, dit-il. Nous en sommes tout près.

—Oh! non, je vous remercie; j'ai trop présumé de mes forces, je me sens fatiguée.

Constance redescendit. Dame Catherine la trouva pâle au . Elle la gronda doucement de son imprudence. C'était si haut! L'escalier était si raide! Catherine le connaissait bien, cet escalier. Toute petite, elle l'avait parcouru. Dieu sait combien de fois, quand son père était gouverneur de Saint-Malo! Et dans le Donjon il existait des cachots! Sainte Vierge, quelle horreur! leur souvenir lui faisait dresser les cheveux sur la tête. L'hiver c'était une glacière, l'été des plombs, comme à Venise. Le prisonnier devait-il souffrir!

En ce moment, le prisonnier ne souffrait plus. Ses tortures, ses déceptions, ses douleurs physiques et morales, il ne les sentait pas. Georges espérait. Quand la flamme vivifiante de l'espérance échauffe le coeur de l'homme, il n'y a pas de misères pour lui.

Mais le chef des Tondeurs devait encore bientôt tomber des régions éthérées d'un beau rêve dans les abîmes d'une réalité infernale.

Le soir même de ce jour, on le tirait de sa prison pour le traîner à bord d'un navire, mouillé en rade, et le plonger à fond de cale, avec dix autres détenus.

CHAPITRE XIII

LE SAINT-LAURENT

Nous l'avons dit: quoique le premier voyage d'exploration de maître Jacques Cartier eût plutôt donne gain de cause à ses Zoïles qu'à ses Mécènes, des esprits distingués ne l'en considérèrent pas moins comme un premier pas vers des conquêtes importantes. Parmi ces natures d'élite, citons avec honneur le vice-amiral Charles de Mouy. Son nom mérite d'être gravé en lettres d'or au socle de la statue que la postérité élèvera sans doute, un jour, à l'illustre parrain de la Nouvelle-France.

Dès qu'il fut de à Saint-Malo, Cartier alla visiter son protecteur. Il lui fit le récit du voyage; lui présenta les deux sauvages qu'il avait ramenés. Taignoagny et Domagaia comprenaient déjà un peu notre langue, ils pouvaient aussi la parler un peu. Ces indigènes répétèrent à Charles de Mouy ce qu'ils avaient souvent dit à Cartier: Le fleuve dont il avait aperçu l'embouchure baignait, à des distances infinies, une terre féconde et bien peuplée. Le pays se divisait en trois sections: Saguenay, Canada , Hochelaga.

Telle est la version plusieurs fois répétée de Jacques Cartier. Elle prévalut, puisque le pays entier porta depuis lors le nom de Canada. Mais, quoi qu'on ait pu dire à ce sujet, quoi que j'aie pu avancer moi-même en mes oeuvres précédentes, il me paraît constant aujourd'hui qu'il n'y eut jamais, parmi les riverains du Saint-Laurent, de pays appelé Canada. Le mot est indien, puisque indien nous disons. Il signifie collection, groupe, amas de maisons, bourgade, village si l'on veut. On le doit écrire Kaugh-na-daugh. Les noms de Kaugh-na-waugh-a, Kaugh-yu-ga, Onon-daugh-a, Kaugh-na-daugh-ga, Kaugh-ni-bas et d'autres avec le même radical ou la même terminaison se rencontrent fréquemment dans l'Amérique Septentrionale.

On montra à ces sauvages quelques grains d'or et de cuivre mêlés les uns avec les autres. Ils surent en faire la distinction et déclarèrent qu'au, Saguenay se trouvaient des mines de cuivre; au Canada des mines d'or. Taignoagny, qui 'paraissait avoir une connaissance exacte de la contrée, ajouta en outre que, dans l'intérieur, à l'Ouest, il y avait une grande nation, d'individus blancs et habillés comme les Français. Ce rapport, fait plusieurs fois à Cartier, pendant ses voyages, ne semblerait-il pas prouver que des navigateurs européens avaient, longtemps avant lui, rangé ces côtes?

Qu'il en soit ou non ainsi, Charles de Mouy fut très-satisfait du début de Cartier. Il lui promit une nouvelle Commission et il s'employa avec tant d'activité que, six semaines après, le octobre , l'amiral Philippe de Chabot lui délivrait, au nom du roi, cette Commission, beaucoup plus large que la première.

Dans son excellente Histoire du Canada, M. F.-X. Garneau laisse croire que Charles de Mouy «se rallia alors seulement à la cause des découvertes et qu'il vint se joindre à Philippe de Chabot.» C'est une erreur regrettable. Le grand amiral eut assurément une part glorieuse à l'entreprise, mais le vice-amiral y contribua beaucoup plus que lui. On a vu que, lors du précédent voyage, ce dernier passa en revue les gens de Cartier. Pour le second, il usa de tout son crédit à la cour de France. Et, grâce à ses démarches, grâce à son influence, une foule de gentilshommes sollicitèrent la faveur de s'embarquer avec maître Jacques, qui avait été officiellement promu au rang de capitaine.

Le «mandement» de Cartier, signé Philippe Chabot, et «scellé en plat quart de cire rouge,» portait qu'il commanderait et mènerait, aux terres neuves, trois navires équipés et avitaillés pour quinze mois, afin de parachever la navigation des contrées qu'il avait déjà reconnues et en découvrir d'autres. Tous les soins d'affrètement des navires et recrutement des équipages lui étaient confiés, «à tel pris raisonnable qu'il adviserait au dire des gens de bien et à ce congnoissans.»

Enfin, on lui déléguait la surintendance générale de l'expédition, et un pouvoir absolu sur les «pillottes, maistres, compagnons mariniers et aultres,» qui l'accompagneraient.

Quand ces Lettres patentes eurent été lues en la baie Saint-Jean et publiées par «bannye» dans la ville de Saint-Malo, les ennemis de Jacques Cartier durent crever de jalousie.

Leur rage ne le préoccupa guère. Le succès ne l'enivra point non plus. Il continua de se montrer ce qu'il était: réservé avec ses supérieurs, obligeant avec ses égaux, sévère mais juste avec ses subalternes, bon avec tous.

Cartier passa l'hiver en courses, tantôt à Paris, tantôt à Rennes, tantôt dans les ports du littoral breton.

L'année s'ouvrit sous de fâcheux auspices. Un moment Cartier put craindre pour la réalisation du désir de toute sa vie. Depuis quelques années suspendue par le traité de Cambrai (), la guerre se rallumait. Le roi de France était prêt.

La mort de sa mère lui avait donné de l'argent. Jusqu'alors, nous avions été tributaires de l'étranger pour l'infanterie. François venait d'instituer les légionnaires, ce «qui fust une très-belle invention,» dit Montluc. Je ne crains pas d'ajouter qu'elle sauva la France. Car ce n'était pas sans quelque raison que Charles-Quint annonçait dans Rome qu'il comptait sur la victoire et déclarait que, «s'il n'avait pas plus de ressources que son rival, il irait à l'instant les bras liés, la corde au cou, se jeter à ses pieds et implorer sa pitié .»

Michelet.

L'assassinat d'un ambassadeur par le duc de Milan fut le prétexte des hostilités. François leva une puissante armée, sous la conduite de Philippe de Chabot, car alors les amiraux recevaient tout aussi bien le commandement des troupes de terre que de mer, et l'on se prépara aussitôt à entrer en campagne.

C'était l'appréhension de cette campagne qui troublait la noble satisfaction de Jacques Cartier. Un revers pouvait renverser tous les dessins du hardi navigateur. Aussi, le printemps arrivé, se hâta-t-il de terminer ses apprêts.

Charles de Mouy avait mis à sa disposition trois navires: la Grande-Hermine, de tonneaux environ; la Petite-Hermine, de ; et l'Émerillon, de .

Le capitaine-général Jacques Cartier arbora son pavillon sur la Grande-Hermine; il prit comme maître de nef Thomas Fromont. La Petite-Hermine eut pour commandant Marc Jalobert, pour maître Guillaume Le Marié. L'Émerillon fut placé sous les ordres de Guillaume Le Breton et de maître Jacques Maingard.

Le mai l'armement et l'arrimage des vaisseaux étaient terminés. Le dimanche , après l'office divin, on consigna les équipages à bord. Il avait été décidé de lever l'ancre dès que la brise le permettrait. Dans la nuit du au , une vingtaine de transportés furent enfermés dans les cales de la Grande et de la Petite-Hermine. Et le , au matin, le vent soufflant bon frais du sud-ouest, Jacques Cartier fit appareiller.

Cette fois, la solennité du départ fut plus brillante encore que la première. Non-seulement les trois navires, mais la ville étaient pavoisés de flammes ondoyantes. Des milliers de curieux encombraient les grèves, les remparts et jusqu'aux toits des édifices. Il en était venu de tous les coins de la Bretagne, de la Normandie, du Maine, même de l'Anjou. C'est qu'aussi la nouvelle de l'expédition avait eu du retentissement. Un essaim de gentilshommes, avec leurs pages, s'étaient enrôlés sous la bannière de Jacques Cartier. A son bord, on remarquait, entre autres, Claude de Pontbriand, échanson du Dauphin, Charles de la Pommeraye, de Goyelle, et Jean Poullet. Sur la Petite-Hermine et sur l'Émerillon, il y avait aussi plusieurs jeunes gens considérables dans le royaume par leur noblesse ou leur fortune.

L'animation était grande, les espérances sans bornes. La voix imposante du canon appuyait les joyeuses acclamations du peuple.

Cartier fit, dans le port, ses adieux à sa famille. Constance eut pour Étienne Noël de feintes tendresses, et le signal du départ fut donné.

Les trois navires sortirent majestueusement de la rade et s'élancèrent, toutes voiles déployées, vers la Manche.

Pendant dix jours, le vent fut très-favorable. On navigua de conserve. Mais, le mai, il s'éleva une tempête affreuse, qui dura «en ventz contraires et serraisons, autant que navires qui passassent jamais la mer, eussent sans amendement.» Le , les trois vaisseaux se perdirent, pour ne se retrouver qu'au, rendez-vous qu'ils avaient pris, à la terre neuve.

Georges avait été embarqué, avec dix autres prisonniers, sur la Petite-Hermine. Il y était connu sous le nom de Philippe, ayant adopté ce nom lors de son arrestation.

On peut juger de sa stupeur quand il se vit claquemuré à fond de cale, avec dix voleurs de la pire espèce. Cette stupeur fut d'autant plus grande que, quelques minutes auparavant, Georges s'était énergiquement rattaché à l'espoir d'une liberté prochaine. Dans l'un des fruits que lui avait donnés Constance, il avait trouvé un billet très-adroitement introduit. Ce billet relevait son courage. On s'occupait de lui. On avait un plan d'évasion. Un gardien était à demi gagné. Georges devait limer ses fers, avec un ressort d'acier enfoncé dans un autre fruit. Bientôt, il recevrait une nouvelle visite.

Outre cela, Constance avait encore pu lui jeter, à la dérobée, le lecteur s'en souvient, quelques limes et une pelote de ficelle, fourrées sous sa basquine.

Quand on vint le prendre pour le mener à bord de la Petite-Hermine, Georges s'abandonnait donc encore à de charmantes perspectives. Le choc fut rude comme un coup de massue; car, tout de suite, notre homme avait compris la peine à laquelle il était condamné. Condamné, non; destiné, plutôt. Nul jugement n'avait été rendu contre lui. Comme il était un sujet de discorde pour l'autorité civile aussi bien que pour l'autorité religieuse, chacune avait accepté avec plaisir l'occasion de s'en débarrasser, par un moyen terme, sauvant l'amour-propre de la corporation. Et on l'avait inclus parmi les détenus que maître Jacques Cartier emmènerait par-delà l'Atlantique.

Un instant, Georges plia sous le poids de cette ruine si prompte, si inattendue, si écrasante de ses aspirations nouvelles. Autour de lui, on riait, on causait, on chantait. Ses compagnons échappaient au gibet. Ils étaient ravis du voyage qu'ils allaient faire. C'était pour eux un voyage d'agrément. L'arrivée de Georges ou plutôt de Philippe—nous devrons l'appeler désormais ainsi—leur déplut. Ils se connaissaient à peu près tous. Ils ne le connaissaient pas. Ils le prirent pour un espion. Son manque de familiarité, sa hauteur contribuèrent à les entretenir dans cette opinion. Ils résolurent de lui faire la vie dure. Et dure, assurément, elle était assez déjà, dans cet étroit espace, privé de la quantité d'air et de lumière suffisants à la santé, où ils étaient enchaînés, entassés, parmi les barriques de goudron, les vieux, cordages, les espars, les ferrements, tous les lourds objets qui ne sont pas d'une utilité immédiate dans un navire. Avec cela, des légions de souris et de rats, une puanteur, une incommodité insupportable.

Tout d'abord, Georges avait songé à se révolter avant qu'on ne levât l'ancre. Il avait emporté ses limes et son ressort, cachés dans sa chaussure. Mais tout de suite aussi, il découvrit qu'il ne serait pas secondé par ses co-captifs. Ceux-ci manquaient d'audace. Bons à commettre les crimes qui n'exigeaient que la ruse ou la supériorité du nombre, ils eussent reculé devant une action d'éclat, exigeant quelque bravoure. Leur sort, du reste, leur paraissait plutôt digne d'envie que de regret. Dans de telles conditions, il n'y avait point à compter sur eux.

Bien malgré lui, Philippe replia les ailes de son imagination. Mais il lutta contre l'abattement, et s'en remit au temps du soin de sa destinée.

Quand l'on fut en pleine mer, le capitaine Marc Jalobert fit assembler les prisonniers sur le pont. Là, il les informa qu'on allait les délier, qu'ils vaqueraient au service du navire, comme matelots, mais que, si l'un d'eux faisait la moindre résistance, il serait sur-le-champ passé par les armes.

Cette déclaration ne pouvait manquer d'être bien accueillie par les misérables détenus. On les mit en liberté, et on les distribua dans les différentes escouades de l'équipage. Ils partagèrent, dès lors, chaque jour, le travail et les repas des matelots; mais le soir, on les verrouillait dans la cale, où ils couchaient.

Philippe n'était point novice dans l'art nautique. Il y avait même des notions assez profondes, qui le firent remarquer par le capitaine et lui valurent quelques faveurs. La suspicion en laquelle le tenaient ses compagnons s'en accrut. Tout en subissant sa supériorité, ils couvaient contre lui une haine, se manifestant chaque fois que l'opportunité se présentait.

Un jour, Étienne Noël, qui occupait sur la Petite-Hermine un grade équivalent à celui de garde-marine, créé plus tard par Louis XIV,—un jour, Étienne Noël commanda à Philippe une manoeuvre assez délicate. Dans son empressement pour l'exécuter, le transporté glissa et tomba tout de son long sur le pont. Les témoins de cette scène se mirent à rire. Mais un des co-détenus de Philippe fit mieux: armé d'un faubert, il épongeait le pont qu'on venait de laver. Cet individu avait conçu une inimitié toute particulière contre Philippe. Le voyant étendu, il crut de bonne plaisanterie de lui pousser son faubert dans le visage.

Déjà irrité par les lazzis que sa chute avait provoqués, Philippe saisit le couteau qu'il avait à sa ceinture, et, cédant à un accès de colère-aveugle, il en porta un coup à l'insulteur. Étienne Noël se jeta entre Philippe et sa victime. Sans réflexion, celui-ci leva son couteau sur Étienne. Aussitôt, il fut appréhendé et solidement garrotté.

Le procès du coupable eut lieu à l'instant, en présence des mariniers et des transportés. La blessure faite par Philippe était légère. Mais il avait menacé d'un couteau son supérieur, terrible devait être le châtiment. Rigoureusement appliquée, la loi le condamnait à mort. Par bonheur, Étienne Noël intercéda pour lui. Et Marc Jalobert consentit à le traiter, non comme un banni criminel, mais comme un matelot.

Quoique, d'après la Coutume, Philippe eût trois repas, c'est-à-dire une journée, pour reconnaître sa faute, il préféra l'avouer immédiatement.

Alors, le capitaine Jalobert, s'étant fait apporter un vieux livre couvert en parchemin, dit, à voix haute:

—Je jure, par les Saints Évangiles, que ce que je vais lire est la loi:

«Le marinier frappant ou levant son arme contre son maître sera attaché avec un couteau bien tranchant au mât du navire par une main, et contraint de la retirer de façon que la moitié en demeure au mât attachée.»

Jugement d'Oléron.—Histoire de la Marine, par E. Sue.

La lecture de cet arrêt fit frémir toute l'assistance. Seul, peut-être, le coupable ne tremblait point.

—Je demande grâce pour lui! s'écria Étienne, les larmes aux yeux.

—Il faut que la justice ait son cours, répondit froidement Marc Jalobert.

Cependant, il se consulta avec un officier et reprit:

Comme, jusqu'à ce jour, le condamné a donné maintes preuves de son bon vouloir et de sa bonne conduite, et par considération pour la requête de l'offensé, nous ordonnons que Philippe soit seulement fixé par la main au mât avec un couteau, et qu'il retire sa main comme il l'entendra, mais sans arracher le couteau. Qu'on le lie!

—C'est inutile, dit Philippe, en appliquant le revers de sa main gauche ouverte contre le mât principal.

Toutefois, il était très-pâle. Des gouttes de sueur perlaient à son front.

L'équipe de service tira au sort pour savoir qui serait le bourreau.

Marc Jalobert remit à l'homme désigné un poignard finement affilé.

Celui-ci, frissonnant, comme l'assemblée entière, prit l'arme et s'approcha du coupable.

—Dépêche! dit Philippe.

L'autre visa et, sans pouvoir s'empêcher de fermer les yeux, cloua, d'un coup sec, la main au mât.

L'arme était entrée en pleine paume. On n'avait pas entendu un cri. Mais, quand l'exécuteur rouvrit ses yeux, ainsi que beaucoup des spectateurs, la main sanglante de Philippe pendait au côté du supplicié. Elle était tranchée entre les métacarpiens et les deux doigts médians.

On donna au patient un lambeau de voile, il en entoura sa blessure et descendit dans le faux-pont où le barbier du navire lui fit un premier pansement.

Le mâle courage témoigné par Philippe en cette circonstance augmenta la considération dont il jouissait déjà parmi les mariniers de la Petite-Hermine et détruisit les injustes préventions de ses co-détenus. Bien plus: ils l'admirèrent. Tacitement ils le reconnurent pour leur chef. La réaction fut tellement spontanée, tellement violente que, le soir de ce jour, ils auraient accablé de mauvais traitements celui qui l'avait injurié, si Philippe ne se fût généreusement interposé.

Sa plaie était cicatrisée quand, le juillet, la Petite-Hermine, accompagnée de l'Émerillon, arriva dans la baie des Châteaux, aujourd'hui détroit de Belle-Isle, séparant l'île de Terreneuve du Labrador. Dès le de ce mois, Jacques Cartier avait touché à l'île aux Oiseaux, où il avait chassé et chargé deux barques de macareux, guillemots et pingouins. Le , il était entré dans le havre de Blanc-Sablon, en la baie des Châteaux, lieu du rendez-vous général.

Les trois navires réunis, on fit du bois et de l'eau; puis, le , on démarra «à l'aube du jour, pour passer oultre.»

L'escadrille revit une partie des îles et côtes qui avaient été découvertes en ; le juillet, elle eut connaissance du cap Tiennot, à présent Mont-Joli. Le er août, un gros temps força Cartier de se réfugier dans le port Saint-Nicolas, sur la rive nord du golfe. Il y planta une croix de bois pour marque. Dans son Histoire de la Nouvelle-France, le père Charlevoix place ce port au ° ' de latitude. Et il ajoute que c'était la seule localité qui, de son temps, conservât encore le nom dont l'avait originairement baptisée Jacques Cartier.

Quittant ce port le , et rangeant le rivage septentrional, la flotte embouqua, le août,—jour à jamais mémorable dans les annales du Canada,—une «grande baye, plaine d'ysles et bonnes entrées et passaige de tous ventz qu'il sçavait faire.» En l'honneur du saint dont c'était l'anniversaire, Cartier donna le nom de Saint-Laurent au golfe, ou plutôt, dit Hawkins , à une baie située entre Anticosti et la rive nord, d'où le nom s'est étendu, avec le temps, non-seulement à ce célèbre golfe entier, mais au superbe fleuve du Canada dont il forme l'embouchure.

Picture of Québec.

Depuis que l'on s'était rassemblé, le temps se maintenait au beau, la santé des équipages était excellente. Ils admiraient à l'envi le profond azur du ciel canadien, qui rappelle celui de l'Orient, la beauté des arbres, la richesse naturelle des campagnes et la variété des animaux qui se montraient sur les plages, des oiseaux qui sillonnaient l'air, des poissons qui s'ébattaient dans les eaux profondes et diaphanes du golfe.

Un des deux sauvages, ramenés par Cartier dans leur pays, fut alors envoyé sur la Petite-Hermine, pour y servir d'interprète. C'était Taignoagny, esprit remuant, ambitieux, qui, plus d'une fois, avait donné des indices trop manifestes de sa malveillance secrète pour les Faces-Pâles.

Il entendait et parlait assez couramment le français. Aussitôt qu'il arriva à bord, Philippe chercha à s'insinuer dans sa faveur. Il y réussit.

Le , Cartier reprit la mer et gouverna à l'ouest. Il s'en vint «quérir ung cap de terre devers le su» et, le , jour de l'Assomption, il élongea une grande île, dont ce cap faisait partie, laquelle il dénomma d'après cette fête, mais qui depuis fut appelée Anticosti, sans doute par corruption de son nom indien Naticosti.

Voir mes Requins de l'Atlantique.

Hardiment ensuite, les trois vaisseaux, arrondissant l'île au sud-est, refoulèrent le courant du Saint-Laurent; mais fidèle à son système d'observations topographiques, le capitaine-général de la flotte cinglait alternativement d'une rive à l'autre pour ne rien laisser passer inaperçu.

On parcourait ainsi les paysages les plus divers, les plus pittoresques. Le spectacle des sauvages, de leur habillement, de leurs armes, de leurs huttes, de leurs usages, de leurs jeux, était à chaque heure pour nos Français des sujets féconds de discussion. Ils tombaient de surprises en enchantements.

Après avoir doublé la pointe occidentale d'Anticosti, Cartier «renvoyait ses nefs» dans le chenal nord pour l'explorer, reconnaissait, le les îles Rondes, où des bataillons pressés de morses confondaient d'étonnement les volontaires de l'expédition; enfin reprenant sa route à l'ouest, le hardi pilote poussait, le er septembre, une pointe dans le fleuve Saguenay, une des merveilles de cette merveilleuse contrée, où toutes ces choses étaient, pour nos aventuriers, frappées au coin de l'étrangeté la plus saisissante.

Et non d'hippopotames, comme le pense M. Charton. Des hippopotames au Canada!

Là commençaient le «royaume et terre de Saguenay.» A l'aspect de ce pays, Philippe conçut une idée bizarre qui le fit sourire et dont il ne tarda guère à tenter l'exécution.

La terre de Saguenay s'étendait jusqu'à une île qu'on appela l'île aux Coudres, à cause des arbustes de cette espèce dont elle est épaissement bordée.

Continuant d'aller «à mont» le fleuve Saint-Laurent, Cartier atteignit, le , une nouvelle île, qui a environ dix lieues de long et cinq de large et qui reçut, parce qu'on y trouve «force vignes,» le nom d'île de Bacchus, changé plus tard en celui d'Orléans. Les naturels accoururent pour voir les étrangers. Ils apportaient des poissons, du gros oeil (maïs) et des melons exquis. Cartier leur fit bon accueil, et distribua des présents qui parurent leur causer grand plaisir.

Domagaia et Taignoagny furent mis à terre. Ils servirent d'interprètes entre les nouveaux venus et les indigènes. Alors, éclatèrent ostensiblement les méchantes dispositions de Taignoagny pour les premiers.

Le lendemain, apparurent douze barques, chargées de sauvages. Dans l'une de ces barques se tenait l'Agouhanna ou «seigneur du Canada.» Il eut un long entretien avec les truchements, ses compatriotes. Puis il baisa les bras de Cartier. On le régala de vin et de pain, lui et sa bande; «de quoy furent fort contents,» et il se retira à Stadacone, son village, planté sur un rocher, à quelques lieues de distance.

Le capitaine-général décida d'établir, dans ces parages, un quartier général.

Avec ses bateaux il inspecta la côte toute festonnée de pampres et de raisins mûrs et alla atterrir en une petite rivière, qu'il nomma Sainte-Croix, parce que le jour de cette fête il y débarqua.

C'était le septembre.

Cartier, ayant trouvé «le lieu propice pour mettre ses navires en sauveté,» les na chercher. La Grande et la Petite-Hermine furent affourchées dans ce havre. L'Émerillon jeta l'ancre non loin de là, mais dans le Saint-Laurent, et l'on entra en rapports intimes avec les indigènes. En témoignage d'amitié, l'Agouhanna, nommé Donnacona, offrit à Cartier sa nièce, une petite fille de dix à douze ans, et deux jeunes garçons. Le capitaine répondit par le présent de deux épées et deux «bassins d'airain.» Les sauvages, ravis, chantèrent et dansèrent. Puis ils demandèrent, comme faveur, qu'on leur «fist ouyr» les canons. Cartier consentit. Il «commanda qu'on tirast une douzaine de barges avec leurs boulletz, le travers des boys.»

Repercutés par cent échos, les roulements de l'artillerie ébranlèrent aussitôt l'espace. «De quoy, dit la Relation de maître Jacques, les sauvages furent si estonnés qu'ils pensaient que le ciel feust cheu sur eulx et se prindrent à hucher et hurler et très-fort, que semblait que Enfer y feust vuide.»

Les gentilshommes français riaient à gorge déployée de cette panique. Jacques Cartier se promenait gravement sur le tillac de la Grande-Hermine, en méditant des découvertes nouvelles; un homme l'examinait silencieusement du gaillard d'avant de la Petite-Hermine. Cet homme était Philippe, qui machinait en sa tête un complot pour le dépouiller de sa gloire et devenir le chef de l'expédition on bien se débarrasser de Donnacona et se faire reconnaître Agouhanna par les sauvages.

Tout à coup, Taignoagny accourut, et d'un air et d'un accent furieux il s'écria:

—Agojuda! Agojuda! les tonnerres de votre cabane flottante, l'Émerillon, ont tué deux Visages-Rouges.

Traître! traître!

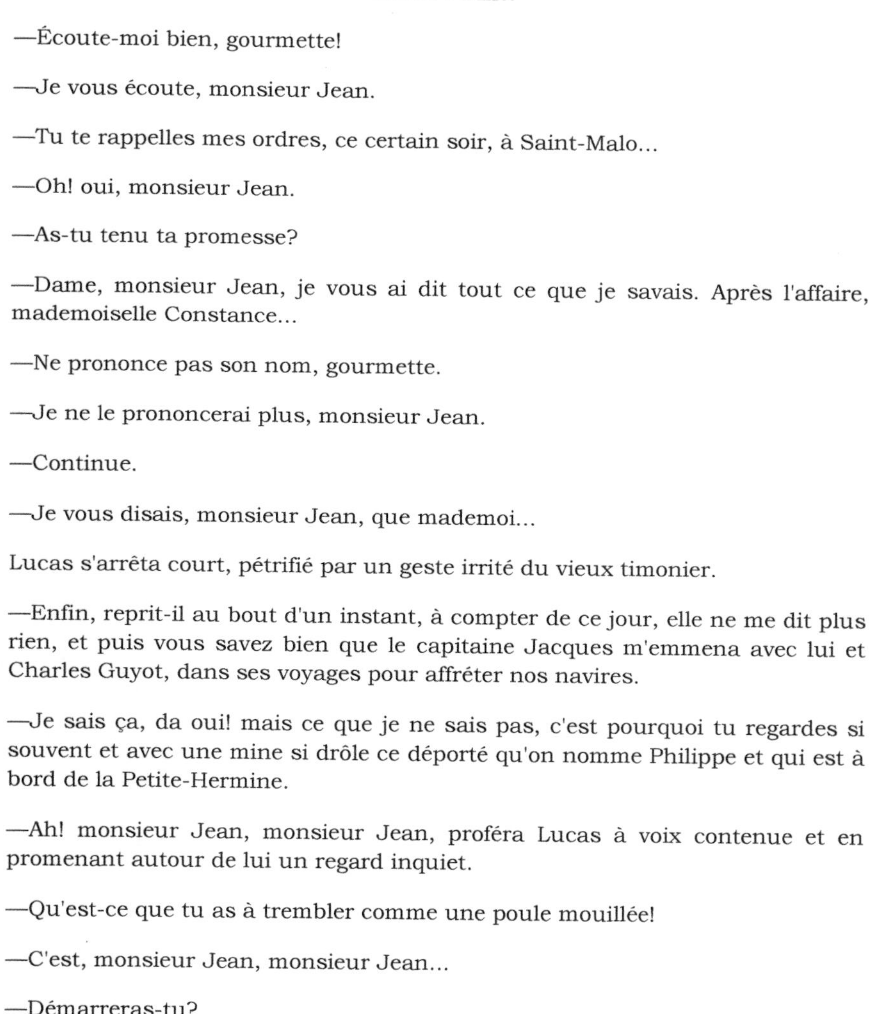

CHAPITRE XIV

TERR I BEN!

—Écoute-moi bien, gourmette!

—Je vous écoute, monsieur Jean.

—Tu te rappelles mes ordres, ce certain soir, à Saint-Malo...

—Oh! oui, monsieur Jean.

—As-tu tenu ta promesse?

—Dame, monsieur Jean, je vous ai dit tout ce que je savais. Après l'affaire, mademoiselle Constance...

—Ne prononce pas son nom, gourmette.

—Je ne le prononcerai plus, monsieur Jean.

—Continue.

—Je vous disais, monsieur Jean, que mademoi...

Lucas s'arrêta court, pétrifié par un geste irrité du vieux timonier.

—Enfin, reprit-il au bout d'un instant, à compter de ce jour, elle ne me dit plus rien, et puis vous savez bien que le capitaine Jacques m'emmena avec lui et Charles Guyot, dans ses voyages pour affréter nos navires.

—Je sais ça, da oui! mais ce que je ne sais pas, c'est pourquoi tu regardes si souvent et avec une mine si drôle ce déporté qu'on nomme Philippe et qui est à bord de la Petite-Hermine.

—Ah! monsieur Jean, monsieur Jean, proféra Lucas à voix contenue et en promenant autour de lui un regard inquiet.

—Qu'est-ce que tu as à trembler comme une poule mouillée!

—C'est, monsieur Jean, monsieur Jean...

—Démarreras-tu?

—Je crois, monsieur Jean, que ce Philippe, c'est monseigneur Georges de Maisonneuve ou... le diable.

—Peut-être bien l'un et l'autre, murmura Jean Morbihan en se signant.

Puis haussant le ton:

—Qu'est-ce qui te fait supposer ça, gourmette?

—Ah! monsieur Jean, je l'ai bien reconnu. A Saint-Malo, il se teignait les cheveux et la barbe. Je l'ai surpris un jour que je lui apportais un billet de madem...

—Pssst!

—Puis il a une marque, une lentille...

—Une marque? où?

—Au bout de l'oreille gauche, tout comme mad...

—Veux-tu te taire, gourmette! Qui est-ce qui t'a dit que Constance avait une marque à l'oreille?

—Dame! monsieur Jean, si je ne l'avais pas vue, dit

Lucas, baissant les yeux et roulant d'un air embarrassé son bonnet entre ses doigts.

—Tiens! c'est vrai qu'ils ont tous deux le même signe!... c'est singulier... bien singulier ça, marmotta le timonier d'un air songeur.

Ensuite il ajouta en souriant, comme s'il repoussait de son esprit une réflexion saugrenue:

—Bast! des idées à moi, des bêtises!

Et s'adressant à Lucas:

—As-tu bien remarqué, gourmette, que ce Philippe quitte fréquemment ses compagnons, quand nous coupons du bois sur le rivage?

—Oui, monsieur Jean. Il s'en va en cachette du côté de Stadacone.

—Eh bien, aujourd'hui, s'il s'écarte, tu tâcheras de le suivre en cachette aussi et de découvrir ce qu'il va faire du côté de Stadacone. As-tu entendu?

—Oui, monsieur Jean.

—Voici les hommes de la Petite-Hermine qui s'affalent dans leurs barques, et justement notre gaillard qui enjambe le plat-bord. Va. Au , tu me diras ce que tu auras appris.

Ce dialogue avait eu lieu sur le tillac de la Grande-Hermine par une de ces splendides matinées de la fin de septembre comme l'on n'en voit guère que dans l'Amérique septentrionale, et au milieu de l'un des sites les plus ravissants que je sache .

Voir ma Notice sur Sagard.

Jacques Cartier avait, nous l'avons dit, mouillé ses deux principaux navires à l'entrée de la rivière Sainte-Croix, appelée actuellement Saint-Charles, en l'honneur de Charles de Boue, grand vicaire de Pontoise, fondateur de la première Mission de Récollets à la Nouvelle-France.

Un promontoire géant, alors aigu, courbé à son extrémité comme le bec d'un oiseau de proie, se dressait sourcilleusement entre cette rivière et le Saint-Laurent, vis à vis l'île de Bacchus. Ainsi qu'un nid d'aigle, au sommet de ce promontoire granitique, était perché Stadacone, résidence de Donnacona, chef puissant chez les sauvages qui peuplaient le littoral du Saint-Laurent, mais soumis, je crois, à l'Agouhanna d'Hochelaga, dont nous parlerons bientôt.

Québec , une ville civilisée, remarquable par plus d'un monument artistique, par l'exquise urbanité de ses habitants, leur bon goût, leur hospitalité célèbre dans le monde entier; Québec, capitale qui pourrait dignement soutenir la comparaison avec plus d'une métropole européenne; Québec, par la nature et le génie humain, le Gibraltar de l'Amérique septentrionale, remplace maintenant l'humble bourgade indienne. Soixante mille individus intelligents, actifs, enfiévrés de l'amour du progrès, ont, en trois siècles, sur ce roc aride, mais imposant, dominateur, substitué leur personnalité puissante à quelques centaines d'êtres misérables, barbares, engrenés dans la routine, générations sur générations dévorées par elle. Des navires nombreux, immenses, des cités flottantes, sillonnent maintenant ce cours d'eau à peine effleuré naguère de quelques pauvres canots d'écorce. L'homme est de nature ascensionnelle.

Vaine la prétendue philanthropie qui le voudrait arrêter dans sa marche. Il obéit à une impulsion propre ou à un ordre fatal. Éminemment perfectible, il est donc éminemment changeable aussi. Pour lui, il n'y a pas, il ne peut y avoir de principes absolus. Tout est soumis au temps, aux circonstances, au cercle social dans lequel il s'agite. Ne regrettons pas la disparition de la famille indienne. Elle devait arriver. Très-généralement l'homme blanc l'emporte, au point de vue intellectuel, sur l'homme noir, cuivré ou rouge. En conséquence, l'homme blanc est destiné à dominer ceux-ci, jusqu'à ce que, à son tour, peut-être, il soit, dans la suite des âges, dominé par une race au cerveau plus développé que le sien.

Lorsque, pour la première fois, je publiai à Montréal (Bas-Canada) la Huronne, j'avais adopté pour le mot Québec l'étymologie admise communément dans la province et donnée par le New-Guide to Québec. «On rapporte, dit ce livre, qu'en apercevant le cap sur lequel s'élève aujourd'hui l'ancienne capitale du Canada, le pilote de Cartier s'écria: «Que bec! Quel bec!»

Le fait est possible, douteux cependant. En ses diverses Relations, Cartier n'en souffle mot; le nom semble dater de la fondation de la ville par Champlain, vers . Ce nom a été l'objet des plus chaudes contestations, tant en Amérique qu'en Europe; aujourd'hui même, doctores certant, etc. Je serais mal venu de prétendra trancher le différend. Avouons pourtant qu'il semble bien jugé par Hawkins dans son New Picture of Québec.

Je me sentais tout prêt à contester avec lui que Québec est un nom français de souche, appliqué souvent sans doute a des localités françaises (puisque sur son sceau, gravé en , Guillaume de la Pôle, comte de Suffolk, s'intitulait seigneur de Hambourg et de Québec), quand, consultant le Dictionnaire de Trévoux à l'article Bec, j'ai trouvé l'explication suivante:

«Quelques lieux particuliers ont pris le nom de bec, comme Caudebec, Bolbec dans le pays de Caux. Et ordinairement, en ces lieux-là, il y a une jonction de deux rivières ou ruisseaux, ce qu'on appelle confluents, ou du moins quelque ruisseau ou torrent. C'est de là que sont venus les noms de l'abbaye du Bec, de Caudebec, d'Orbec, de Robec, selon Icquez, qui remarque que les Normands ou peuples du Nord ont porté en Neustrie, chez les Français, le mot bek, qui veut dire ruisseau, torrent.»

Les habitants du Cher disent encore le bec, pour exprimer l'embouchure de la rivière qui a donné son nom à leur département.

Or, Québec est placé sur un promontoire ou un bec, au confluent de la rivière Sainte-Croix ou Saint-Charles, dans le Saint-Laurent; donc la question est jugée sans appel. Il est parfaitement oiseux de violenter le sens des mots ou leur assonance, comme ceux qui supposent entendre Québec dans Cabir-Coubat (nom indien du Saint-Charles), pour déterminer l'origine du mot Québec. Soit que, suivant La Potherie, il faille l'attribuer aux compagnons de Jacques Cartier s'exclamant «Quel bec!» à la vue de la pointe formée par le Saint-Laurent et le Saint-Charles; soit que ce nom remonte à une date postérieure, il est essentiellement français, par droit de naissance, et doit être considéré comme tel.

«Canouy,» les appelle Cartier en sa Relation.

Un malheur, c'est que ces Indiens trouvés par Jacques Cartier, comme ceux découverts par Christophe Colomb, étant, en masses, bons, doux, serviables,—quoique défiants, et cela se comprend assez, de reste,—on les ait rendus méchants, durs, féroces. Ni le catholicisme, ni le protestantisme n'a fait une oeuvre profitable chez eux. Quelques superstitions de plus, c'est là tout, sans compter l'hypocrisie et l'avilissement. Le sauvage avait son caractère à lui, sui gèneris; il était fin, il était grand, magnanime souvent .

Voir mes Derniers Iroquois.

Notre lumière lui a perverti les sens plutôt que de le servir. Rien d'étonnant à cela. Il n'y avait pas remède. Condamné à s'éteindre, il s'éteint. Quoi qu'on en ait dit, notre tour viendra comme est venu le sien. Sa ruine date de l'heure où les Européens débarquèrent sur ses rivages. Il semble que Donnacona ait eu l'instinctif pressentiment de ce qui écherrait à ses compatriotes. Avec Cartier, son caractère n'est pas égal. Il aime, mais il a peur. Il attire les Français près de son village, mais il les redoute. A peine sont-ils installés au havre de Sainte-Croix qu'il les voudrait au loin et conspire contre eux.

La situation était, je le répète, convenable et plaisante au possible. Un éclair de génie avait illuminé Cartier dans le choix de l'emplacement. La position exacte du port Sainte-Croix, où il demeura du septembre au mai de l'année suivante, a fourni matière à de vives discussions. A présent, on semble d'accord. Cartier passa l'hiver dans une anse de la rivière de Saint-Charles, aux environs de l'ancien pont Dorchester et de l'hôpital maritime de Québec. La découverte, en , de l'épave d'un vieux navire, dans cet endroit, est venue corroborer la précédente opinion, car cette épave de navire parait être celle de la Petite-Hermine, abandonnée par Cartier, lors de son départ pour la France ().

Dans toute son étendue, le Saint-Laurent n'offre peut-être pas un port mieux abrite.

«Ce point, par la distribution des montagnes, des plaines, des coteaux, des îles autour du bassin de Québec, est, dit M. Garneau, un des sites les plus grandioses, les plus magnifiques de l'Amérique. Les deux rives du fleuve conservent longtemps, en remontant depuis le golfe, un aspect imposant, mais triste et sauvage. Sa grande largeur à son embouchure, quatre-vingt-dix milles, ses nombreux écueils, ses coups de vent en certaines saisons de l'année, ses brouillards, en ont fait un lieu redoutable pour les navigateurs, qui contribue encore à augmenter cette tristesse. Les côtes escarpées qui les bordent pendant plus de cent lieues, les montagnes couvertes de sapins noirs qui resserrent au nord et au sud la vallée qu'il descend et dont il occupe, par endroits, toute la largeur; les îles, aussi nombreuses que variées par leur forme et dangereuses à la navigation, se multiplient à mesure qu'on avance; enfin tous les débris épars des obstacles que le grand tributaire de l'Océan a rompus et renversés, pour se frayer un passage à la mer, saisissent l'imagination du voyageur qui le remonte pour la première fois. Mais, à Québec, la scène change. Autant la nature est âpre et sauvage sur le bas du fleuve, autant elle est variée et pittoresque, sans cesser de conserver un caractère de grandeur, surtout depuis qu'elle a été embellie par la main de la civilisation.»

Et Cartier l'a dit dans sa Relation.

Autour de Stadacone «est aussi bonne terre qu'il soit possible de voir et bien fructiferente, pleine de fort beaux fruits de la nature et sorte de France.»

Une fois ses navires arrivés dans le havre de Sainte-Croix, le capitaine s'en était allé, sur l'Émerillon, poursuivre son exploration du fleuve Saint-Laurent. Mais il avait laissé des ordres précis pour qu'on enfermât la Grande et la Petite-Hermine dans une estacade.

Les mariniers se mirent activement à l'ouvrage. Le bois était proche, contenant des arbres superbes. On les coupa; on en fit des pieux qui furent plantés dans le lit de la rivière et formèrent bientôt une palissade autour de leur navire. Cette palissade, garnie de canons, les plaçait à l'abri d'une surprise ou d'un coup de main. D'un côté, la forteresse était encore protégée par la rivière. De l'autre, on établit un pont-levis.

C'est à la construction de ce pont-levis que travaillaient les mariniers, quand Jean Morbihan, suspectant la conduite de Philippe, le fit espionner par le gourmette Lucas.

Déjà les sauvages ne manifestaient plus autant de bienveillance. Ni Domagaia, ni Taignoagny n'avait voulu accompagner Cartier dans son voyage en amont du fleuve. Ils avaient même, avec Donnacona, tâché de s'y opposer. Leurs démarches étaient équivoques. On pouvait craindre une déclaration d'hostilités.

Lucas se conforma ponctuellement aux instructions de Jean Morbihan. Voyant Philippe s'écarter lorsqu'on fut entré dans la forêt, il le suivit secrètement, en se faufilant, comme un chat, à travers les halliers.

Philippe s'arrêta bientôt dans une éclaircie, non loin de Stadacone. Taignoagny l'y avait précédé. Ils causèrent quelque temps, d'un ton si bas, que leurs paroles n'arrivèrent pas aux oreilles de Lucas. Il entendit seulement ces mots prononcés par Taignoagny, au moment où ils se quittèrent.

—Demain matin, avant le jour, à la grande chute. Donnacona et les autres chefs y seront avec moi. Ne manque pas de venir, mon frère.

—Je ne manquerai pas, répondit Philippe. La chute est à deux heures d'ici?

—Oui, à deux heures du temps des Faces-Pâles, repartit le sauvage.

Et ils se quittèrent.

Le gourmette rapporta fidèlement ce lambeau de conversation à Jean Morbihan.

Au milieu de la nuit suivante, celui-ci, couché sur la poupe de la Grande-Hermine, examinait, avec vigilance, ce qui se passait à bord de l'autre navire, amarré tout auprès. Soudain un capot d'échelle fut soulevé, une ombre glissa sur le pont de la Petite-Hermine, franchit l'enceinte de pieux, qui n'était pas encore achevée, et disparut dans la campagne.

—Min Gieu, voilà ce que c'est que d'avoir ouvert la cage à ces hérétiques-là, marmotta Jean Morbihan; si on avait continué de les tenir sous cadenas et verrous, ils n'ourdiraient pas de méchantes trames... Mais maître Jacques est comme ça. Il a voulu les mettre en liberté... Plutôt mettre en liberté des tigres, des lions et des serpents! Ah! si ç'avait été moi!...

Tout en agitant ces pensées dans son esprit, le brave timonier s'était jeté sur la piste de l'ombre.

Il faisait chaud, lourd. La nuit était très-noire. Un orage flottait dans l'air.

Jean longea le fleuve, en aval. Les réverbérations de l'eau l'aidaient à se diriger, sur les battures, bordées, comme d'une muraille par une lisière de grands arbres.

Le sentier était dangereux souvent, difficile toujours. Mais Morbihan le connaissait. Peu de jours auparavant, il l'avait parcouru avec Jacques Cartier allant visiter la chute, appelée d'abord la Vache, à cause de ses mugissements sans doute, et plus tard Montmorency.

Le fracas de cette chute se fit bientôt entendre.

Après une heure et demie de marche, Jean distingua les cimes pelées des roches qui encaissent le torrent.

La chaleur augmentait, malgré l'approche du jour. L'atmosphère devenait de plus en plus pesante. Quelques éclairs zébraient de feu la voûte céleste. Le tonnerre grondait par intervalles. Mais le vacarme de la cascade en dominait les éclats.

Jean Morbihan n'avait guère quitté de vue la silhouette de Philippe. Il s'en rapprocha avec prudence, en grimpant, à travers bois, vers le sommet du cap.

Comme l'aube blanchissait parmi un enchevêtrement de nuages violacés, ils arrivèrent tous deux au faîte. Philippe marchait ferme et droit, Jean se coulait, courbé en deux, autour des broussailles.

Le premier fit halte sur un plateau chenu, duquel l'oeil plongeait avec effroi dans les profondeurs encore à demi voilées de la cataracte. Le second aussi fit halte, sous un buisson, à quelques pas.

L'orage, amoncelé depuis la veille, fulminait ses dernières menaces. Il allait faire explosion. De larges gouttes de pluie tombaient.

Cinq sauvages débouchèrent alors d'un fourré voisin. Jean reconnut dans ce groupe Domagaia, Taignoagny et Donnacona. Les deux autres lui étaient étrangers.

Ils s'avancèrent vers Philippe, lui baisèrent les bras et un entretien animé s'engagea entre eux et le transporté, Taignoagny et Domagaia servant d'interprètes. Pour Morbihan, le meuglement de la chute couvrait en partie le son des voix. Mais, par les gestes, il en comprenait à peu près le sens.

Je n'ignore pas que les mots de transporté et déporté sont, en cette acception, d'introduction récente dans notre langue et dans nos lois. Mais j'ai cru devoir les employer, parce que, mieux que banni ou exilé, ils me semblent rendre l'idée que l'on y attachait alors.

Philippe engageait les sauvages à faire une attaque nocturne sur les navires. Il leur promettait son concours et celui de ses co-déportés. En récompense les indigènes pilleraient les approvisionnements et les armes qui se trouveraient à bord. On tuerait Cartier à son , et ils seraient débarrassés d'un ennemi aussi perfide que dangereux.

La conjuration dura longtemps, malgré la tempête et la pluie. Le jour était venu sombre, lugubre. De ses lueurs blafardes il teignait les horreurs du gouffre épouvantable creusé par la chute d'eau qui fond, en hurlant comme une légion démoniaque, du haut d'un rocher perpendiculaire, mesurant deux cent quarante pieds d'élévation .

La chute Montmorency a cent pieds de plus que celle du Niagara. J'en ai donné une description détaillée dans la Huronne.

Morbihan était gêné par la posture qu'il avait prise. Il fit un mouvement. Il se trahit.

Les cinq sauvages poussèrent un cri affreux et s'enfuirent.

Sur le plateau, il ne resta plus que le transporté et le timonier.

Philippe, tout aussitôt, avait découvert Jean. Les deux hommes couvaient l'un contre l'autre une haine instinctive profonde. Ils devinèrent qu'à cet instant leur vie était en jeu.

Sans articuler un mot, ils s'étreignirent. Jean avait à sa ceinture son couteau de marinier; mais il ne songea pas à en faire usage. Philippe n'était pas armé.

Là, sur cet étroit plateau, que quelques pieds séparaient de l'abîme, commença une lutte sourde, acharnée, féroce. Les deux antagonistes bientôt furent en nage. Ils soufflaient comme des soufflets de forge. Leurs membres craquaient; leur bouche écumait et leurs yeux étaient injectés de sang.

Jean tâchait d'étouffer son ennemi pour s'en rendre maître. L'autre cherchait à le rouler vers le précipice pour l'y lancer.

—Terr i ben! fit tout à coup Morbihan en suspendant une seconde ses efforts; c'est le frère à...

Le reste de la phrase se confondit dans les rugissements de la tourmente.

Une surprise, puis une inattention au combat perdirent le pauvre vieux timonier.

Déjà il maintenait Philippe couché, haletant sous lui. De son genou, il lui écrasait la poitrine; avec son poing fermé, comme avec un marteau, il lui meurtrissait le visage, lorsque, par la chemise en lambeaux du jeune homme, il aperçut le tatouage que celui-ci portait sous le sein gauche.

Cette vue avait produit sur Jean une vive impression. Il avait lâché tout à la fois l'exclamation que nous venons de rapporter et son adversaire. Philippe aussitôt profita du répit pour reconquérir ses avantages.

Dans un mouvement rapide, il rassembla toutes ses forces, se dégagea, reprit le dessus, et poussa le corps du malheureux Morbihan dans l'abîme, à l'instant même où il s'écriait:

—Terr i ben! C'est le frère à...

Les voix de la foudre et de la cataracte faisaient, en ce moment, un effroyable duo.

CHAPITRE XV

HOCHELAGA

—Par ma Catherine, ce Taignoagny est, au demeurant, un pauvre hère. Depuis que je le connais, j'ai appris à le surveiller. Il nous a joué cent tours pendables. Cependant je ne le croyais ni aussi fourbe, ni aussi bestial. Refuser de nous accompagner à Hochelaga et s'imaginer que nous allions nous laisser imposer par ses mensonges ou ceux de Donnacona, son compère en artifices.

—Assurément, c'est un sot, mais un sot dont on se doit défier à l'avenir, croyez-moi, capitaine Cartier, dit Jean Poullet.

—Oh! intervint Marc Jalobert, en haussant les épaules; on ne fait pas à des niais de cette sorte l'honneur de se défier d'eux. Si l'on n'en a pas besoin, on s'en débarrasse. S'ils sont de quelque utilité, on les tient sous le séquestre.

—Vous êtes trop rigoureux, mon frère, trop rigoureux, répondit Cartier. Les sauvages sont hommes comme nous. Le bon Dieu ne nous a pas donné le droit de les maltraiter. Il faut les instruire en notre sainte foi, les prendre par la douceur...

—Oui pour qu'ils nous égorgent traîtreusement! grommela Marc Jalobert.

--Quoi! s'écria le fier Claude de Pontbriand, vous auriez maître Jacques, quelque compassion pour ces vilains-là. Il ferait beau voir! Ne sont-ils pas serfs, esclaves par la naissance? Ne sommes-nous pas leurs seigneurs et maîtres par la naissance aussi? La cour de Rome l'a déclaré et la cour de Rome est infaillible.

Voir ma Notice sur Sagard.

Elle ne saurait se tromper.

—Je ne me permettrai pas de discuter l'opinion du Sacré Collège, répliqua gravement Cartier; mais ma conscience me dit que ces gens que nous appelons sauvages sont nos semblables, que nous devons des égards à leur ignorance, et nous montrer charitables pour eux, afin de les attacher peu à peu à la vraie religion..

—Des idolâtres, des truands, des gibiers de potence ou de bûcher, fit Jean Poullet d'un ton dédaigneux.

—Et, ajouta Charles de la Pommeraye, des scélérats qui ne demanderaient pas mieux que de nous assassiner pour piller nos navires!

—Voyez-vous cet animal de Taignoagny qui cuide nous effrayer avec ses diables de paille! reprit Marc Jalobert.

—Bah! dit gaiement Cartier, ils m'ont fait rire. Nous avions besoin d'une mascarade pour nous réjouir. Mais, penser qu'avec ces mannequins cornus, accoutrés de peaux de chien, noires et blanches, puis plantés dans des barques, poussés contre nos navires, penser qu'avec ces piteuses diableries ils nous feraient peur! C'est par trop fort! Décidément, Taignoagny, l'instigateur probable de ce carnaval, est un asinet. Il nous a pris pour qui nous ne sommes pas. Au reste, vous avez vu comme je me suis moqué de lui et de son dieu Cudragny! Ces gens voulaient tout simplement nous retenir chez eux et accaparer le privilège de commercer avec nous. Ils sont jaloux de ce que nous poussons plus loin nos explorations. Ils craignent que nous ne contractions avec d'autres peuples une alliance plus intime qu'avec eux. C'est là tout. Mais je ne suppose pas qu'ils soient animés contre nous de méchantes intentions. Ils resteront en paix avec nos mariniers durant notre absence. D'ailleurs, les vaisseaux sont bien armés, bien commandés, et le vieux Jean Morbihan, que j'ai laissé malgré moi à bord de la Grande-Hermine, n'est pas homme à tomber dans les pièges que lui tendrait un Taignoagny ou un Donnacona! Ayons donc confiance en l'avenir, mes amis, et soyez persuadés que le Tout-Puissant, qui nous a si manifestement couverts de sa protection jusqu'à ce jour, ne nous abandonnera pas alors que nous travaillons pour sa gloire!

—C'est fort bien dit, maître Jacques, fit Jean Poullet. Mais arriverons-nous à les convertir? Sous le nom de Cudragny, ces païens adorent le diable, c'est sûr. Ils tuent leurs prisonniers, leur enlèvent la peau du crâne et s'en font d'odieux trophées.

—Puis, appuya Claude de Pontbriand, ils vivent comme les mahométans avec plusieurs femmes; voire leurs filles sont si débauchées qu'elles s'abandonnent à tout chacun avant d'être mariées.

—Ah! plaignons-nous de ça! dit lestement le galant Charles de la Pommeraye.

—Messieurs, je vous engage à plus de décence dans vos comportements avec elles, repartit Cartier d'un ton sévère. Nous ne sommes pas venus ici pour semer la corruption, mais pour y répandre la vertu.

Les jeunes seigneurs échangèrent entre eux un sourire quelque peu ironique.

—Si ce n'était que cela, dit timidement Étienne Noël; mais, mon oncle, ces barbares ont un défaut bien honteux qui doit leur être inspiré par l'enfer: avez-vous remarqué qu'ils portent au cou une petite peau de bête, en lieu de sac, avec un cornet de pierre ou de bois, puis à toute heure tirent du sac une certaine herbe, en font poudre et la mettent en l'un des bouts dudit cornet; ensuite posent un charbon dessus et sucent par l'autre bout, tant qu'ils s'emplissent le corps de fumée, tellement qu'elle leur sort par la bouche et les nasilles, comme par un tuyau de cheminée?

—Pouah! exclama avec dégoût Pontbriand. J'ai voulu éprouver cette poudre. Il semblait que c'était du poivre tant elle était chaude.

—C'est quelque détestable invention qu'ils tiennent de leur Cudragny, dit Cartier .

Relation de Jacques Cartier.

Qu'en pensent nos millions de fumeurs civilisés?

—Sans compter, ajouta Guillaume Le Breton, qu'ils pratiquent le vice contre nature!

—Pas possible!

—J'en suis certain.

Cette réponse souleva un cri général de réprobation.

—Allons, allons, reprit le capitaine Cartier, doucement; ne nous montrons pas trop rigoristes pour ces pauvres ignorants. Nous ne sommes pas déjà si sages, tous tant que nous voici. Quel est celui de nous qui jamais n'outragea le Seigneur? Ayons de l'indulgence pour le prochain. Que notre conduite lui soit un exemple. Dieu a bien fait tout ce qu'il a fait. Nous le prierons de nous prêter sa lumière pour éclairer ces aveugles, et peut-être feront-ils, un jour, l'honneur de sa Sainte Église! Admirez, d'ailleurs, la beauté du pays, sa fécondité, l'excellence des aliments qu'il produit. N'est-ce point réjouissant? Voyez ces arbres magnifiques qui bordent les rives du fleuve; ces champs de blé sauvage qui se déploient à perte de vue; ces cerfs, daims, ours, lièvres, lapins , écureuils, qui apparaissent à chaque instant sur la plage; et cette multitude d'oiseaux: grues, cygnes, outardes, oies, canards, pigeons, perdrix, pluviers, dont les bois et les airs sont remplis; et cette infinie variété de poissons, comme baleines, chevaux et loups marins, saumons, truites, maquereaux, mulets, bars, brochets, esturgeons, carpes, brèmes, éperlans aussi bons qu'en rivière de Seine, qui fourmillent dans les eaux; contemplez tous ces trésors naturels et dites-moi si cette terre n'est pas une terre de Promission? Qu'en penserez-vous, mes chers amis, si nous trouvons, comme on me l'a assuré, à Hochelaga, capitale de ce vaste empire, des mines d'argent, d'or et de pierres précieuses?

Castors, et non lapins, comme l'a dit un éditeur. La petite rivière de la Bièvre, à Paris, signifie la rivière des castors. Ces animaux existaient dans l'ancienne Gaule. On en trouve même encore quelques-uns à l'embouchure du Rhône.

En prononçant ces paroles, le brave marin s'était animé, contre son habitude. Son mâle visage rayonnait de tous les feux du génie.

Il disait vrai, toutefois.

Elles étaient réellement d'une fertilité luxuriante les contrées qu'ils côtoyaient depuis leur départ de Sainte-Croix, qu'ils avaient quittée le septembre (malgré les représentations intéressées des aborigènes), pour pousser aussi loin que possible leur reconnaissance.

Le galion l'Émerillon et deux barques avaient été affectés à ce voyage. Cinquante mariniers et tous les gentilshommes composaient l'équipage, bien pourvu d'armes et de munitions. Le reste des aventuriers avait été laissé sur les deux autres navires.

Caressée par les ailes des plus riantes espérances, la gaieté régnait à bord de l'Émerillon. A la splendeur du paysage qui se déroulait lentement sous les yeux, se joignait l'incomparable pureté, du ciel, encadrant un panorama toujours curieux, toujours nouveau. Ils savent combien il est agréablement diversifié ce panorama, ceux qui ont promené leurs rêveries sur le Saint-Laurent entre Québec et Montréal.

Mais, pour en saisir tout le pittoresque, toutes les féeries, c'est aux premiers jours de l'automne qu'il faut visiter cette galerie enchanteresse. L'opulente palette de Rubens n'aurait suffi à reproduire l'éclat et la variété de ses rideaux de verdure et de ses tableaux agrestes. Il y a là une profusion de couleurs inouïe. Les émeraudes les topazes, les rubis, les turquoises, les améthystes, les perles, les diamants de toute eau, de toute nuance semblent avoir été jetés, à pleines mains, sous une pluie d'or et d'argent, à la tête des végétaux grands et petits, monarques et sujets, pour leur en faire une somptueuse parure. Et, pourtant, à ce prodigieux ensemble de couleurs multiples éblouissantes, le plus léger frémissement de la brise prête même une harmonie une douce fusion de teintes, qui n'est pas un des moindres charmes de ce spectacle ravissant. Quand le soleil mordore toutes ces richesses, on dirait d'un merveilleux cachemire de l'Inde pavoisant les deux rives du fleuve. Vous vous imagineriez que, secouant les arbres auxquels flottent ses longs plis moirés, il en tomberait une poussière de pierreries.

Cartier et ses compagnons ne se lassaient point de regarder des scènes si belles, si séduisantes. Mais ce qui captivait surtout leur attention, c'était la vigne, très-abondante, et pliant sous le poids des raisins, qui festonnait les bords du Saint-Laurent. On allait sans se presser, à petites journées, s'arrêtant à peine pour prendre langue, faire des échanges avec les indigènes. En un détroit, nommé Ochelay , à quelque, vingt-cinq lieues de Sainte-Croix, un «grand seigneur du pays» vint à bord. Il présenta au capitaine deux de ses enfants, comme gage d'amitié. Cartier accepta l'un, fillette de sept à huit ans, dans l'intention de la faire instruire, et refusa l'autre, un garçon «parce qu'il estoit trop petit.»

Après avoir «festoyé ledit seigneur et sa bande,» l'on remit à la voile et bientôt, le , l'Émerillon arriva dans un grand lac, large d'environ cinq ou six lieues et de douze de long .

M. Charton, dans ses Voyageurs anciens et modernes, et M. d'Avezac, dans son Introduction au Deuxième Voyage de Cartier (édition Tross), annoncent, d'après, disent-ils, une note de la Société historique de Québec, que cet endroit est le Richelieu. Je crois qu'il y a erreur, à moins que le nom de Richelieu n'ait été transféré d'une autre rivière à celle qui tombe dans le Saint-Laurent, au-dessus du lac Saint-Pierre. Pour moi, j'incline à penser que ce détroit, dont parle Cartier, est la pointe de Batiscan.

Le lac Saint-Pierre. Cartier en a donné les dimensions réelles.

Cartier jeta l'ancre et chercha un passage avec ses barques. Il trouva des sauvages qui chassaient dans les Iles. La vue des Européens, loin de les effaroucher, les attira. Ils se montrèrent bienveillants, donnèrent au capitaine des rats, «gros comme lapins, et bons à merveille;» et celui-ci leur offrit des couteaux et patenôtres, en récompense.

Partout, cela est digne de remarque, les étrangers furent reçus cordialement. Grave sujet de réflexion pour l'observateur! Si, bientôt, on ne les eût odieusement persécutés, les aborigènes de l'Amérique seraient-ils devenus aussi cruels qu'ils le sont aujourd'hui? Ne m'objectez pas l'atrocité de leurs guerres, la barbarie avec laquelle ils traitaient les prisonniers, dès cette époque. Nous-mêmes, alors, n'étions guère plus humains. Sans parler de l'inquisition, le système de torture usité dans l'ancien monde envers les accusés l'emportait de beaucoup en raffinement sur celui des sauvages. Le scalpage des captifs même ne leur était pas propre. Trop aisément l'on peut prouver que nos ancêtres l'ont pratiqué.

Cartier, cependant, fit presque toujours preuve de modération et de justice dans ses rapports avec les naturels. Aussi eut-il peu à se plaindre d'eux. Ceux du lac où il avait mouillé lui indiquèrent le chemin d'Hochelaga, en lui disant qu'il «y avait encore trois journées à y aller.»

Comme les eaux étaient peu profondes et «qu'il n'estoit possible pour lors passer ledict gallyon,» on arma les barques et Cartier poursuivit sa route avec Claude de Pontbriand, Charles de la Pommeraye, Jean Guyon, Jean Poullet, Marc Jalobert, Étienne Noël, Guillaume Le Breton et vingt-huit mariniers.

Ils naviguèrent de «temps à gré.» Mais leur navigation fut longue, car nos aventuriers n'atteignirent le territoire d'Hochelaga que le samedi soir octobre, treize jours après avoir quitté le havre de Sainte-Croix. La traversée n'est que de soixante lieues seulement. On la fait aujourd'hui en douze heures. Que les temps sont changés!

Une foule considérable de sauvages, dans leur costume de grande cérémonie, attendait sur le rivage.

«Ils nous feirent, dit Jacques Cartier, aussy bon accueil que jamais père feist à enfant, menant joye merveilleuse.»

Hommes, femmes, enfants, tous dansaient et chantaient à l'envi. Le premier, Étienne Noël sauta à terre, pour se justifier des reproches que son oncle lui adressait parfois à cause de sa mélancolie habituelle. Mais c'est que le pauvre garçon trouvait le voyage long, terriblement long, et que sa pensée vagabonde bien souvent le ramenait à Saint-Malo, près de la fière et fantasque Constance. Et alors les rêves, les espérances, les craintes, les soupirs!

—Bien, lui dit en souriant le capitaine; prenons possession de cette terre au nom du roi notre maître.

Et il s'élança après Étienne Noël, avec les gentilshommes qui faisaient partie de l'expédition.

Le temps était beau à souhait. Les naturels, croyant nos navigateurs descendus, du ciel, se pressaient autour d'eux, apportant leurs enfants «à brassée,» pour les faire toucher, dans l'idée de les préserver de toute maladie ou de les rendre invulnérables.

Ils offrirent à Cartier du pain de gros oeil (maïs) et du poisson. Il les paya en brimborions et revint coucher dans ses barques, renvoyant au lendemain dimanche son excursion au village d'Hochelaga, éloigné de deux lieues environ. Mais les sauvages passèrent la nuit à danser et à s'ébaudir autour des grands feux qu'ils avaient allumés sur la plage.

Le jour suivant maître Jacques «s'accoutra et fit mettre ses gens en ordre pour aller voir la ville de ce peuple.» Cette visite était depuis longtemps l'objet de ses ardents désirs. On lui avait fait d'Hochelaga une description pompeuse. Son attente subit sans doute d'étranges déceptions. Mais il n'eut pas moins lieu de se féliciter d'avoir entrepris cette course périlleuse.

Au point où il débarqua , la campagne, naturellement riche, était cultivée avec soin.

Le courant Sainte-Marie.

Devant les yeux se dressait superbement un mamelon, bien boisé, sous les pieds ondulaient des plaines fertiles se prolongeant à droite jusqu'aux confins de l'horizon, tandis qu'à gauche le Saint-Laurent roulait majestueusement ses ondes puissantes, au-delà desquelles, en un vague lointain, des rochers sourcilleux noyaient leur front dans l'azur céleste. L'air retentissait du gazouillement des oiseaux, et la brise chantait gaiement dans les arbres.

Peintures charmantes d'une inexprimable poésie, qui s'animait, s'incarnait de couleurs de plus en plus riantes à mesure que l'on avançait, par un bon chemin «aussi battu qu'il soit possible.»

Trois sauvages servaient de guides.

Tout de suite, et d'un commun accord, on nomma Mont-Royal la colline qui dressait en avant sa croupe arrondie, sur laquelle s'étage maintenant, en amphithéâtre, la belle cité de Montréal.

Lorsque Cartier y mit le pied, le octobre , ce n'était qu'Hochelaga, une pauvre bourgade, tout de bois et d'écorce, mais déjà célèbre parmi les riverains du Saint-Laurent.

L'illustre navigateur nous en a laissé une description fort détaillée.

La ville était de forme ronde, fortifiée de trois rangées du palissades. Elle n'avait qu'une porte, fermant à barres. La triple enceinte, bâtie en façon de pyramide, était haute de deux lances environ. Au-dessus circulait une sorte de galerie, approvisionnée de roches et de cailloux, et à laquelle on parvenait au moyen d'échelles.

A l'intérieur, les maisons, au nombre d'une cinquantaine, étaient disposées en ellipse. Elles mesuraient cinquante pas de long, sur douze ou quinze de large. Des pieux formaient les murailles, des écorces de bouleau le toit. Leur figure était celle d'un tunnel. Plusieurs familles vivaient dans chaque cabane. Elles y avaient leur chambre, séparée des autres par une simple cloison en peau ou en branchages. Point de porte à ces chambres, ne renfermant qu'un lit de pelleteries et des instruments de pêche, chasse et labour. Toutes donnaient sur un corridor intermédiaire, aboutissant, au milieu de la hutte, à un foyer commun. Des claies, étendues sous le plafond, tenaient lieu de grenier. Pour conserver les vivres, il y avait de grands vaisseaux semblables à des tonnes.

Cartier fit son entrée, a travers les flots pressés de toute la population. On le conduisit sur la place. Elle était carrée et occupait le centre du village.

Après les saluts d'usage parmi ces nations, les sauvages s'accroupirent auprès des Français, et plusieurs femmes étalèrent les nattes par terre pour les faire asseoir ù leur tour. «Le roi ou Agouhanna parut, un instant après, porté par une dizaine d'hommes, qui déployèrent une peau de cerf et le placèrent dessus. Il était âgé de cinquante ans environ et perclus de tous les membres. Rien ne le distinguait de ses sujets, si ce n'est qu'il avait sur la tête «une manière de lisière rouge pour sa couronne, faite en poil de hérisson.»

Après avoir salué Cartier et sa suite, il leur fît, dit M. Garneau , comprendre par ses signes que leur arrivée lui causait beaucoup de plaisir; et, comme il était souffrant, il montra ses bras et ses jambes à Cartier, en le priant de les toucher. Celui-ci les frotta avec ses mains. Ce que voyant, l'Agouhanna prit le bandeau qu'il avait sur la tête et le lui présenta, pendant que les aveugles, borgnes, boiteux, impotents, se serraient contre le capitaine français dans l'espoir de se soulager par son contact: «Tellement qu'il semblait que Dieu feust la descendu pour les guérir.»

Histoire du Canada.

Dans sa profonde piété, Jacques Cartier s'agenouilla avec tous les siens, fit le signe de la croix sur les malades, récita l'Evangile selon saint Jean, et pria le Seigneur d'accorder à ces pauvres gens la grâce de recevoir un jour le baptême. Ensuite, prenant un livre d'Heures, il lut tout haut la Passion de Jésus-Christ.

Les naturels observaient un silence religieux. Ils parurent comprendre l'imposante grandeur de cette scène.

Les oraisons terminées, on leur distribua dus hachots, des couteaux, des patenôtres et «autres menues besognes,» puis ou jeta aux petits enfants des bagues, des agnus Dei d'étain. Enfin, pour couronner la cérémonie, le capitaine «ordonna sonner les trompettes et autres instruments de musique.»

Déjà électrisés par tant de prodiges, ces sauvages n'y tinrent plus. Et, dans leur enthousiasme, ils baisèrent jusqu'à la trace des pas des étrangers. Ils auraient bien voulu les faire manger. Pour cela, ils avaient apprêté du poisson, des potages, des fèves; mais, après y avoir tâté, les Français, ne trouvant pas les mets de leur goût, déclinèrent poliment l'invitation.

Parmi les femmes, plusieurs étaient, sinon jolies, du moins accortes et provoquantes. Aussi quelques-uns de nos gentilshommes n'auraient-ils pas été fâchés de resserrer les liens de la connaissance; malheureusement pour leurs velléités amoureuses, le capitaine était infatigable. Tout entier a ses desseins, il ne souffrait de délassement ni pour lui, ni pour ses compagnons.

Le Mont-Royal devait dominer une vaste étendue de territoire. Cartier se fit mener incontinent à la cime. De cette hauteur, en effet, l'oeil embrasse un horizon immense de tous les côtés, excepté au nord-ouest où il est borné par des montagnes bleuâtres.

Vers le centre de ce tableau, que sillonne le Saint-Laurent, s'élancent quelques pics isolés. De la main, les sauvages enseignèrent à Cartier le point où naissait le fleuve et les endroits où la navigation en était interrompue par des cascades. Partout le pays lui parut propre à la culture. Dans la direction du nord-ouest ils lui indiquèrent la rivière des Outaouais. Au sud, ajoutèrent-ils, il y a une contrée abondante en fruits exquis et où la neige et la glace sont inconnues. Sans qu'on leur demandât, ils prirent la chaîne du sifflet du capitaine «qui était d'argent et un manche de poignard, lequel était de laiton jaune comme or et montrèrent que cela venait d'amont ledit fleuve.» On leur présenta du cuivre rouge; leur geste désigna le Saguenay comme son lieu de provenance.

Satisfait de ces informations, Jacques Cartier refusa de céder aux instances des sauvages, qui le suppliaient de demeurer quelques jours parmi eux. Plus d'un gentilhomme n'en eût pas été marri. Mais le capitaine enjoignit à son monde de regagner aussitôt les barques.

Les indigènes suivirent leurs nouveaux amis, les chargeant sur eux comme sur chevaux, quand ils les voyaient fatigués.

On rentra à bord, dans l'après-midi. Le jour baissait rapidement, faisant place aux premières ombres du crépuscule. Néanmoins, Cartier donna l'ordre du départ.

—Tant mieux! s'écria Étienne Noël en larguant l'amarre de l'une des barques.

—Pourquoi tant mieux? répondit aigrement Jean Poullet derrière lui. N'eut-il pas été préférable de passer la nuit à nous ébattre avec ces gentes sauvagesses?

Étienne haussa les épaules d'un air dédaigneux.

—Palsambleu! mon jouvenceau, elles sont bien aussi affriolantes que certaine inconstante Constance que je sais, repartit Poullet.

Les amours d'Étienne étaient connues. Cette grossière saillie souleva une explosion d'hilarité autour de lui. Le jeune homme n'aimait pas mons Poullet dont l'outrecuidance était d'ailleurs insupportable à tous. Pâle, frémissant de colère, Étienne le souffleta brusquement.

Occupé dans l'autre barque, Jacques Cartier n'avait rien remarqué.

CHAPITRE XVI

FRAGMENTS DE MÉMOIRES

«Tremblant encore la fièvre,» Étienne Noël descendit péniblement de son branle. Il avait les joues creuses, le teint livide. Ses genoux le soutenaient A peine. Tout, dans sa physionomie, portait les marques profondes d'une longue et cruelle maladie.

On était à la fin de mars. Malgré le tuyau de poêle qui passait, bien chauffé, à travers les cloisons, le froid se faisait sentir. Il sévissait âprement au dehors, étoilant au dedans l'unique petit carreau qui éclairait la cabine.

Des gémissements douloureux se faisaient entendre.

Étienne Noël ouvrit, avec une clef, un coffret placé sous sa couche. Il en tira quelques feuilles de parchemin, réunies soigneusement en liasse par des rubans roses et verts. Puis, il dénoua les rubans et étala les feuillets sur la table.

Au recto du premier, servant d'enveloppe, on lisait:

**CE MÉMOIRE EST DÉDIÉ A TRÈS-BELLE, TRÈS-DOUCE,
TRÈS-EXCELLENTE ET MOULT AIMÉE
DAMOISELLE ET COUSINE
CONSTANCE**

Cette dédicace était écrite en magnifiques lettres gothiques, fleurdelisées d'or.

Étienne s'assit, tourna quelques feuilles du manuscrit, les parcourut d'un air mélancolique, et, sur une page blanche, il traça les lignes suivantes:

«A bord de la Petite-Hermine, ce vingt-troisième jour de mars mil cinq cent trente-six,»

«Combien je m'applaudis, affectionnée cousine, de cette résolution qui me fut inspirée par mon Ange gardien, de vous narrer nos faits et gestes en cette terre lointaine. Par là vous connaîtrez le fond de mon coeur, le verrez à nu, et saurez que le pauvre Étienne vous aime, ainsi que le méritez. Peut-être n'aurai-je jamais la félicité de vous remettre moi-même cet écrit, car j'ai été grièvement blessé, comme bientôt vous le dirai, et suis encore, à présent, atteint de maladie maligne; mais si le bon Dieu me refuse la grâce ineffable de revoir ma mie Constance, elle saura toutes les pensées et tous les actes de celui qui ne désire rien tant au monde que de devenir son heureux époux. Amen!

«Je vous mandais, en ma dernière missive, que mon oncle Cartier n'avait pas voulu, cette année, monter plus haut que Hochelaga. La saison était avancée, et le courant du fleuve si impétueux au point où nous avions amarré nos barques, qu'il eût été impossible de le refouler.

«Nonobstant sa décision d'aller plus loin, le capitaine-général dut ajourner l'accomplissement de ce projet à un moment plus favorable. C'est pourquoi il donna l'ordre de rallier incontinent le galion. Je vous avouerai, cousine, que lors j'eus une querelle avec un de nos passagers volontaires. Il m'insulta, sans raison; je le frappai, à grand tort. Le Seigneur tout-puissant m'en punit; car nous étant depuis battus en duel, à Stadacone, mon adversaire me bailla au travers du flanc un grand coup d'épée, dont ne suis pas encore tout à fait rétabli.

«Mais, fin de la digression! je reviens à notre voyage. Le lundi, octobre, nous rentrâmes, en bonne santé, à bord de l'Émerillon; et, le , fîmes voile pour ner à la province de Canada. Le , on fit halte et on planta une croix, sur le bord d'une rivière , qui coule du nord. Quatre jours après, le H, nous jetions l'ancre dans le port de Sainte-Croix, où les gens se montrèrent tout joyeux de notre arrivée, mais nous annoncèrent une lamentable nouvelle.

L'embouchure du Saint-Maurice.

«Comme vous l'aurez apprise, sans nul doute, avant de lire ce récit, je ne prends, chère cousine, aucune précaution oratoire pour vous la répéter. Nos compagnons nous instruisirent donc de la disparition de ce tant bon et tant brave Jean Morbihan. Il y avait dix jours qu'il manquait à l'appel. On ne savait ce qui lui était advenu, non plus qu'à un des prisonniers, nommé Philippe, homme adroit, expert en toutes choses, de bel air, de grandes manières, courageux comme un lion, et qu'on prétendait être le chef de ces Tondeurs qui faisaient tant de mal dans Saint-Malo avant notre départ. J'ignore si le fait est vrai, mais le bruit courait parmi les mariniers que ce bandit n'était pas autre chose non plus que le fameux Georges de Maisonneuve, ce gentilhomme prodigue et libertin dont vous avez si souvent ouï parler. Ma foi, par moment, sous ses haillons, il avait bien la mine arrogante d'un haut seigneur! Après tout, ce sont rumeurs sans portée. Tous les hommes, les nôtres surtout, ont l'amour du merveilleux. Je suis sûr que le sire de Maisonneuve rirait très-fort, avec ses amis, s'il apprenait jamais cette histoire! Laissons-la pour ce qu'elle vaut et songeons plutôt au malheureux Jean Morbihan. Ah! je l'ai pleuré de toutes les larmes que vous verserez sur son sort, douce cousine. D'abord, on espéra le retrouver. Le capitaine fit faire des recherches minutieuses. Chacun s'y prêtait avec ardeur; car, qui ne le chérissait, ce brave père Jean! Mais tout a été inutile. Il n'a point reparu. On n'a pas découvert une seule trace de lui. Nous en sommes réduits à des conjectures. Peut-être a-t-il été enlevé par les sauvages? Peut-être est-il tombé dans le fleuve où il se sera noyé?

«Quoi qu'il en soit, sa perte a si vivement affligé mon oncle Jacques, qu'à travers toutes les afflictions dont il a plu à la Providence de l'accabler, il ne passe pas de journée sans regretter son vieux serviteur! Ah! votre pauvre père adoptif a été pitoyablement éprouvé, ma plus aimée! Mais, comme Job, il a courbé la tête sans murmurer, sans accuser la destinée. Notre capitaine est un homme d'une vertu antique. Il ressemble à ces héros de Plutarque, dont j'ai traduit la vie glorieuse. Lui, si doux, si compatissant aux maux des autres, il est ferme, comme le rocher de Saint-Michel, pour ceux qui le touchent. Rien ne paraît l'ébranler. Pourtant, ma cousine, vous savez comme moi que, si son esprit est un foyer brûlant d'intelligence, son coeur est un trésor de sensibilité. On ne peut s'empêcher de l'aimer et de l'admirer. Il souffre intérieurement, je le vois trop. Son âme est en proie à des angoisses affreuses; son corps a même pâti de privations grandes. Mais maître Jacques demeure impassible. Sur son front règne toujours une sérénité inaltérable. Deux fois seulement, j'ai cru surprendre en lui quelques signes d'émotion. C'est d'abord en embrassant, avec son oeil d'aigle, le pays que l'on aperçoit du haut de Mont-Royal, puis en recevant avis de la disparition de l'infortuné Morbihan.

«Pauvre bon père Jean, il avait déjà si activement poussé les travaux qu'un véritable retranchement était élevé pour protéger nos navires dans le havre de Sainte-Croix. Ce retranchement est en bois. Il se compose de gros pieux, enfoncés dans le lit de la rivière, tout à l'entour des vaisseaux. Sa forme est celle d'un ovale. La Grande-Hermine, la Petite-Hermine et l'Émerillon sont enfermés dans cette enceinte, crénelée, garnie de canons et de meurtrières. En avant le cours d'eau, large d'un trait d'arbalète, sert de fossé. De l'autre, on a creusé une espèce de douve, qu'on franchit par un pont-levis, pour se rendre à la terre ferme.

«Nous sommes donc, grâce à Jean, très-bien défendus contre les hostilités des sauvages. C'est heureux, car leurs intentions deviennent de moins en moins amicales. Mon oncle les soupçonne, avec raison, je crains, de conspirer contre nous, à l'instigation de ce Taignoagny, que nous avions, il vous en souvient, amené en France en revenant de notre premier voyage au Canada.

«Mais, apportons un peu de méthode dans cette narration, et consignons-y quelques dates.

«Le lendemain de notre arrivée à Sainte-Croix, Taignoagny et Domagaia nous firent visite avec plusieurs autres Canadians. Ils se confondirent en protestations d'amitié. M'est avis toutefois que c'était pour nous mieux leurrer. Sur leur invitation, le jour suivant, octobre, notre capitaine leur rendit cette visite avec cinquante compagnons, à Stadacone, distant d'une petite lieue du fort. Stadacone est un petit village, non palissadé comme Hochelaga. Dans la maison de Donnacona, nous furent montrées les peaux de cinq têtes d'hommes, étendues sur du bois, comme peaux de tambour. Quelle horreur! Ces sauvages ne semblent cependant pas très-cruels. Ils nous contèrent qu'ils avaient pris ces hideux trophées à leurs ennemis, les Trudamans, peuples féroces avec lesquels ils sont en guerre.

«Les Canadians n'ont aucune créance de Dieu. Mais ils adorent le diable, sous la désignation de Cudragny. Toutefois, ils se feraient volontiers baptiser. Ils en ont prie le capitaine, qui leur a promis qu'à un autre voyage il leur apporterait des prêtres et du chrême. Donnacona s'est montré très-content de cette promesse.

«Vous ne serez peut-être pas fâchée de savoir comment ils vivent, ma cousine. Leur mode diffère totalement de la nôtre. Ils sont en communauté de biens et admettent la pluralité des femmes, comme les Musulmans. Ce qui est un crime épouvantable. Les filles se comportent avec une liberté indécente; pour elles, c'est honneur d'avoir quantité de galants .

«Ils ont, dit la Relation de Jacques Cartier, une aultre coustume fort mauvaise de leurs filles, car depuis qu'elles sont d'aage d'aller à l'homme, elles sont toutes mises en une maison, habandonnées à tout le monde qui en veult jusques à ce qu'elles aient trouvé leur party. Et tout ce avons veu par expérience, car nous avons veu les maisons pleines des dictes filles, comme est une eschole de garsons en France. Et davantage le hazard selon leur mode tient lesdictes maisons où ils jouent tout ce qu'ilz ont, jusques à la de leur nature.»—Note de l'éditeur.

«Les hommes sont joueurs effrénés. Ils chassent, pêchent, font la guerre, mais ne travaillent point le sol.

Cette rude besogne est réservée aux femmes. Elles labourent les champs avec un petit bois de la grandeur d'une demi-épée, et qu'ils appellent osizy. Leur blé est gros comme pois, jaune d'or quand il est mûr, l'épi long de cinq à six pouces, la tige haute comme une lance. Ils consomment ces épis grillés au feu, ou battent les grains avec des pilons, les mettent en pâte, en font des tourteaux qu'ils cuisent sur des pierres chaudes. En général, ils mangent les aliments crus ou boucanés à la fumée de leurs feux.

«Les Canadians sont tout à fait malpropres, allant souvent nus l'été ou se couvrant à peine. Je puis vous assurer, ma charmante cousine, que leurs agruestes (ou dames) n'ont rien de séduisant, quoi qu'en aient maints gentilshommes de notre équipage, et quoiqu'elles se barbouillent la face de peintures et s'ornent d'esurgny, sorte de coquille dont ils font grand cas. Ces esurgny sont pour eux bijoux précieux et monnaie courante. Ils se les procurent ainsi: quand un homme a mérité la mort, ils le tuent, puis l'incisent, à grandes taillades, dans les parties charnues du corps, ils le jettent au fond de l'eau, au lieu où gisent lesdits esurgny. On l'y laisse dix ou douze heures. Ensuite, on le retire. Et, dans les incisions, se trouvent les coquilles en question, qu'ils taillent et façonnent à leur convenance . On leur accorde la propriété d'étancher le sang du nez. N'est-ce pas merveilleux, ma cousine? Il est chose qui l'est plus encore. C'est ce qu'a conté Donnacona à notre capitaine, de la terre de Saguenay, où sont les hommes blancs comme en France et accoutrés de drap de laine et où il y a infini or, rubis et autres richesses. Il dit encore, car il a beaucoup voyagé, avoir vu un pays dont les habitants ne mangent point, sans pour cela se mal porter; et même un pays de Picquemyans où les gens n'ont qu'une jambe, ce qui ne les empêche pas démarcher!

Ces esurgny sont des ouampums ou coquilles, fort estimés encore aujourd'hui de tous les Indiens de l'Amérique septentrionale.

«Je n'en finirais pas si je voulais vous refaire tous les beaux récits que nous avons ouïs, tant à Stadacone qu'à Hochelaga. J'en réserve et des meilleurs, ma Constance, pour l'heure fortunée où, tout à notre aise, nous pourrons babiller ensemble.

«Je ne vous cèlerai pas alors la beauté du ciel durant l'été, la bonté du sol et les agréments de cette contrée si peu connue. Mais il me faudra aussi vous parler de ses incommodités, des épouvantables rigueurs du climat, du terrible fléau qui a décimé mes misérables compagnons.

«Ah! Constance, ma mie, quelle atroce froidure! Figurez-vous que, le novembre, il gela tout d'un coup si fort, que nos navires furent, en une seule nuit, environnés de glace. Ce n'était que le début de l'hiver, las! Peu après, le fleuve entier fut pris, de Stadacone à Hochelaga. Au mois de janvier, les glaces avaient deux brasses de profondeur, et sur la terre la neige était haute de plus de quatre pieds. Nos breuvages étaient figés dans leurs futailles, et, malgré les grands feux que nous entretenions jour et nuit dans les navires, il y avait du haut en bas contre la muraille une couche de congélation épaisse de quatre doigts.

«Jugez, cousine, de nos souffrances! à nous qui n'avions pas pris, en partant de Saint-Malo, nos précautions contre semblable température! Cela dura jusqu'au février. Ce ne fut pas tout encore. Dieu nous voulait éprouver. Sa main s'appesantit lourdement sur l'expédition.

«En décembre, la mortalité s'était mise au peuple de Stadacone. Une maladie hideuse le ravageait. Les jambes s'enflaient, les nerfs se retiraient, la peau noircissait comme charbon, on suintait le sang. Après quoi, cette exécrable affection gagnait les hanches, les épaules, les bras, le col, le visage. L'haleine devenait infecte, les gencives se pourrissaient, les dents déchaussées tombaient, et la mort enfin délivrait le patient de supplices comparables à ceux de l'enfer.

«En cette occurrence, notre capitaine fit inhibition aux sauvages de venir à notre fort et aux mariniers de communiquer avec eux. Ce fut en vain. L'effroyable contagion s'introduisit dans les équipages, et, à la mi-février, de cent dix hommes que nous étions, il y en avait déjà huit de morts, cinquante en qui on n'espérait plus de vie et pas trois de sains a bord. Moi-même, chère cousine, j'étais légèrement atteint. Mais, par bonheur, le digne Jacques Cartier fut épargné par cette peste maudite.

«Ah! quel dévouement, quel courage, quelle patience il déploya depuis! Son admirable caractère apparut dans toute sa beauté. Ma chère Constance, cet homme n'a pas son égal.

«En ces moments critiques, et alors que, dans l'un des navires, il n'y a créature humaine qui puisse descendre sous le tillac pour tirer a boire , alors aussi que les Canadians paraissent vouloir profiter de notre faiblesse pour nous massacrer, le capitaine-général remplit tour à tour et tout à la fois les fonctions de médecin, sentinelle, garde-malade, aumônier, cuisinier et approvisionneur. Toujours debout, toujours sur le qui-vive, il est infatigable. Les mourants le bénissent en rendant leur âme à Dieu; les vivants lui vouent une gratitude éternelle. Ce n'est plus un chef, c'est un père, mais un père qui a la tendresse d'une mère, les prévenances d'une soeur, et sans se départir de la vigilance d'un guerrier. Croiriez-vous que, pour tromper les sauvages sur notre déplorable situation, il fait sortir les hommes valides de la batterie quand il aperçoit les Canadians rôdant autour du fort. Puis, il a l'air de les châtier ou de les occuper A de rudes travaux, comme, calfatage, radoub ou telles pénibles besognes. Et les autres dupes, de s'imaginer que nous sommes tous en joie et santé. N'étaient ces précautions, ma Constance adorée, depuis deux mois, c'en serait fait de nous.

Relation de Jacques Cartier.

«Oh! oui, je le répète, maître Jacques Cartier n'est pas un être ordinaire. Les anciens l'auraient honoré comme un Dieu. Avec cela, si simple, si modeste, si pieux! Tous les dimanches, il dit l'office de la messe. Dès le commencement de l'épidémie, il se fit pèlerin à Notre-Dame de Roquemado en Quercy, promettant y aller, si le Seigneur lui donnait grâce de ner en France.

«Je ne mentionne pas ses soins affectueux pour moi, après que je fus blessé en ce duel avec Jean Poullet, et après que je fus pris par la maladie dont à peine je relève...»

A ce moment, Charles Guyot, serviteur de Jacques Cartier, entra brusquement dans la cabine:

—Où est le capitaine? demanda-t-il.

—Je ne l'ai pas vu ce matin, répondit Étienne.

—Le gourmette Lucas est à l'extrémité. Il désire lui parler.

—Pauvre enfant! mourir si jeune! Il n'a pas encore quinze ans.

—Ah! dit Charles, j'entends marcher sur le pont.

C'est mon maître, je reconnais son pas.

Cartier arrivait effectivement. Il tenait à la main des rameaux d'épinette.

—Réjouis-toi, Étienne, dit-il, je viens de rencontrer Domagaia. Il était naguère affecté de cette affreuse maladie qui nous désole. Aujourd'hui je le trouve sur pieds. Je m'enquiers comment il s'est guéri, feignant que Charles Guyot était aussi atteint de la contagion, mais me gardant bien de déclarer que nos compagnons en périssaient. Il me répond que c'est avec le jus et le marc des feuilles dont voici les branches. Il faut les faire bouillir, boire un gobelet de la décoction et appliquer le résidu en manière de cataplasme tous les deux jours. Veux-tu, Étienne, que nous commencions l'épreuve par toi, car nos gens se défient des sauvages. Ils craignent le poison. Je suis assuré cependant que ce végétal n'a point de propriétés offensives...

—Oh! mon oncle, je ferai tout ce que vous désirerez! dit Étienne. Mais Lucas vous appelle...

—Oui, maître, ajouta Charles Guyot. Le gourmette est à l'article de la mort. Il veut se confesser à vous.

—Encore ce malheureux enfant! Seigneur, je vous en conjure, mettez un terme à votre courroux, ou qu'il tombe de tout son poids sur moi! s'écria Cartier.

Et, posant ses branchages sur la table, il passa de la Petite sur la Grande-Hermine.

Dans le faux-pont, le spectacle était lugubre. Des hommes hâves, décharnés, des spectres plutôt, étaient assis languissamment autour du poêle ou couchés sur les branles. Leur visage n'avait plus rien d'humain. Quelques-uns poussaient des cris sourds, déchirants.

Pâle, les traits altérés, les membres amaigris, la démarche mal assurée, Cartier lui-même semblait une ombre, au milieu de ces fantômes.

A son arrivée les gémissements cessèrent.

—Mes amis, dit-il, je crois avoir découvert une médecine contre vos souffrances. C'est Domagaia qui m'en a donné le secret. Bientôt, je l'espère, nous remercierons le ciel d'être venu à notre secours.

Les mariniers secouèrent désespérément la tête, tandis que Cartier s'approchait du branle où Lucas se tordait en convulsions.

Frappé, lui aussi, du scorbut, le pauvre gourmette, enfant abandonné, recueilli par la charité de Cartier et qui avait trahi son bienfaiteur, sentait, avant d'expirer, le pressant besoin d'avouer son crime.

La confession fut courte, car déjà commençait l'agonie de Lucas. Mais, sans doute, elle remua profondément les entrailles de maître Jacques.

Ceux qui l'observaient l'entendirent prononcer ces mots: «Malheureux, je te pardonne;» et ils le virent porter, plus d'une fois, la main à son front ou essuyer des larmes à ses paupières.

La nature reprenait-elle enfin ses droits sur la fermeté ordinaire du capitaine-général? Il luttait évidemment contre de puissantes impressions. Mais, dans cette lutte, le respect de son devoir l'emporta comme toujours.

—A genoux, mes amis, dit-il. A genoux! Je vais réciter la prière pour les moribonds.

Ceux des assistants qui étaient levés se prosternèrent. Les autres joignirent les mains, en se tournant vers le lit du mourant.

Et Jacques Cartier, d'une voix pénétrante:

«Partez de ce monde, âme chrétienne, au nom de Dieu le Père tout-puissant qui vous a créée; au nom de Jésus-Christ, fils du Dieu vivant, qui a souffert pour vous; au nom du Saint-Esprit, qui vous a été donné; au nom des Anges et des Archanges; au nom des Trônes et des Dominations; au nom des Principautés et des Puissances; au nom des Chérubins et des Séraphins; au nom des Patriarches et des Prophètes; au nom des saints Apôtres et des Évangélistes; au nom des saints Moines et solitaires; au nom des saintes Vierges et de tous les Saints et Saintes de Dieu. Qu'aujourd'hui votre séjour soit dans la paix, et votre demeure dans la Sainte Sion. Par Jésus-Christ, Notre Seigneur. Ainsi soit-il.»

—Ainsi soit-il! répétèrent, en sanglotant, les mariniers.

Secrètement, dans la nuit suivante, le corps de Lucas fut enterré, lui vingt-cinquième, sous la neige, le reste de ses compagnons étant trop faible pour fouiller la terre gelée.

CHAPITRE XVII

A SAINT-MALO

En faisant, dans ses Mémoires, l'éloge de Cartier, Étienne, second fils de Jacques Noël, n'avait point exagéré les admirables qualités du héros. C'était bien l'homme juste impavidus, au coeur bardé du triple airain, dont parle le poète.

Cartier était aussi grand par le coeur que par l'esprit: il appartient à cette race de génies trop rares auxquels l'humanité érige des monuments, témoignages de sa gratitude. Et pourtant, oh! je le répète ici, avec un vif sentiment de douleur, dans cette France si noble, si généreuse, qui a eu la gloire de lui donner le jour, Jacques Cartier attend encore sa statue!

Mais nous ne connaissons donc pas ses voyages! mais nous n'en avons donc pas lu les Relations! mais nous ne savons donc pas perpétuer la mémoire de nos ancêtres! Nouvelle Athènes, la France restera-t-elle éternellement ingrate envers l'un des meilleurs, l'un des plus dignes de ses enfants! Le coeur saigne, à cette pensée.

Quand je vois Cartier hardi tout autant que Colomb, son égal en habileté, son supérieur en persévérance; quand je le vois ce magnifique caractère lutter contre l'ignorance ou le mauvais vouloir de ses compatriotes, résister aux sollicitations de ses affections intimes, opposer une poitrine de fer aux infatigables coups de la fatalité; ne se laisser abattre ni par les violences inusitées d'une température ordinairement excessive, ni par le déchaînement d'une maladie épouvantable, ni par les menaces, chaque jour plus terribles, des tribus sauvages qui l'entourent, ni enfin par la mort qui frappe, frappe encore, frappe toujours autour de lui; quand je vois tout cela, je ne crains pas de me demander qui fut le plus méritant du pilote malouin ou du navigateur génois.

Capricieuse déesse que la fortune! L'univers sait l'histoire de Colomb; combien y a-t-il de gens, dans sa propre patrie, qui soupçonnent celle de Jacques Cartier? Qui oserait dire, cependant, que les explorations de celui-ci sont moins estimables que les découvertes de celui-là? Qui s'aviserait de prétendre que les Canadas et les États-Unis d'Amérique ne valent pas aujourd'hui pour le mouvement civilisateur, comme pour la richesse de toute nature, le Mexique, le Brésil, le Chili ou le Pérou?

Ah! si les Français possédaient la vingtième partie de l'esprit vantard, pompeux jusqu'au ridicule des Espagnols et des Portugais, il ne serait pas besoin de venir, trois cents ans après la mort de Cartier, réclamer pour notre honneur, plus encore que pour le sien, une place au soleil de la renommée!

Il fut, sans doute, remarquable par l'habile direction de son expédition jusqu'à Hochelaga. Mais il le fut, à mon sens, bien autrement par sa conduite, durant les quatre mois qu'il passa au milieu de la peste, sur des navires mal approvisionnés, environnés de peuplades hostiles et sous un froid souvent de plus de degrés!

La glace avait six pieds d'épaisseur, la neige quatre et davantage. Le Saint-Laurent était gelé. Le pont s'étendait de la pointe de Stadacone jusqu'à Hochelaga soixante lieues de longueur sur une de large en plusieurs endroits.

La débâcle eut lieu le février, devant Stadacone; beaucoup plus tard devant Montréal. Mais ce fut le avril seulement qu'elle se fit dans la rivière de Sainte-Croix et que les navires se délivrèrent enfin de leurs lourdes entraves de cristal.

Ces dates et les précédentes sont conformes à l'ancien calendrier. D'après celui que nous suivons, exécuté sous Grégoire XIII et mis en vigueur à partir de , il faut, pour avoir les dates modernes, ajouter dix jours à chaque période.

Le scorbut avait cessé de répandre la mort dans les équipages. Grâce aux infusions et aux cataplasmes d'épinette blanche, nos mariniers se rétablissaient rapidement. D'abord, ils avaient fait des difficultés pour user du remède. Mais l'exemple d'Étienne Noël, sa cure miraculeuse déterminèrent les plus récalcitrants. «Après avoir vu et connu, il y eut, dit Cartier, telle presse sur ladite médecine qu'on se voulait tuer à qui le premier en aurait. De sorte qu'un arbre aussi gros et aussi grand que chêne qui soit en France, a été employé en six jours, lequel a fait telle opération que, si tous les médecins de Louvain et de Montpellier y eussent été avec toutes les drogues d'Alexandrie, ils n'en eussent pas tant fait en un an que ledit arbre en a fait en six jours.»

Mais si la santé était revenue, l'inquiétude régnait toujours au havre de Sainte-Croix. De la part des sauvages on redoutait une attaque. Ils n'apportaient plus comme autrefois des provisions aux équipages. Quand par hasard ils le faisaient, c'était de mauvaise grâce et ils vendaient fort cher leurs denrées.

Donnacona, Taignoagny et d'autres étaient partis, sous couleur d'aller chasser. Mais il était à craindre que ce ne fût dans le but de réunir et de ramener des alliés pour assiéger le fort. Taignoagny ne voulait pas ner en Europe. Fier des notions qu'il y avait apprises, parce qu'elles lui donnaient un certain empire sur les gens de sa race, il désirait secrètement perdre les Français, dont la supériorité portait ombrage à ses vues ambitieuses. Il se disait que, ceux-ci morts, la route du grand fleuve serait perdue pour les autres. Philippe n'avait pas peu contribué à le pousser dans cette fausse voie; et, quoique Philippe eût disparu depuis leur entrevue au sommet de la chute, le sauvage y persévérait résolument. Donnacona, homme faible, versatile, se laissait guider par l'artificieux Taignoagny, qui ne cherchait cependant qu'à lui ravir le pouvoir.

Tout en allant «prendre des cerfs et daims,» vers la fin de février, ils firent alliance avec divers chefs des tribus voisines et, deux mois après, ils rentrèrent à Stadacone, suivis d'une foule de guerriers.

Heureusement Jacques Cartier était sur ses gardes. Il avait augmenté les défenses du fort et doublé les postes. En même temps, il pressait l'appareillage de ses navires, bien décidé à ner eu France, avec la Grande-Hermine et l'Émerillon, aussitôt que tout serait prêt. La Petite-Hermine étant en mauvais état et le nombre des aventuriers ayant diminué, on avait résolu de la démolir et d'en abandonner les pièces inutiles dans le havre de Sainte-Croix.

Le avril, Domagaia se montra sur le bord de la rivière, accompagné de plusieurs jeunes gens, «beaux et puissants.» On l'invita à venir à bord. Il refusa. Ce refus, la présence de ces hommes inconnus réveillèrent toutes les défiances de Jacques Cartier. Aussi, quoique Domagaia lui annonçât que Donnacona était de et qu'il lui apporterait de la venaison le lendemain, Cartier envoya-t-il Charles Guyot à terre. C'était, de tous les Visages-Pâles, celui que les Peaux-Rouges aimaient le mieux. Guyot avait ordre d'aller à Stadacone pour observer ce qui s'y passait. Il exécuta avec adresse sa mission et marcha tout droit à la demeure de Donnacona. Mais celui-ci, prévenu de son arrivée, fit le malade et se coucha.

Pourquoi mon frère ne rend-il pas sa visite au grand chef des blancs? lui dit Guyot qui avait appris la langue du pays. Mon frère est-il indisposé contre le capitaine Cartier, qui l'attend pour boire avec lui la liqueur rouge et faire chaudière?

—Non, dit Donnacona; le chef des blancs est un grand agouhanna. Mon coeur l'aime; mais mon corps souffre. Donnacona ne peut aller le voir aujourd'hui, il y ira demain.

—Voici, reprit Charles, une hache que le chef blanc envoie à son frère le chef rouge.

—Tu lui diras que je ferai mes présents au prochain soleil, repartit Donnacona.

Guyot sortit ensuite et se transporta à la cabane de Taignoagny. Cette hutte, comme les autres du village, était si pleine d'étrangers qu'on n'y pouvait remuer.

Charles engagea Taignoagny à le suivre à bord. L'interprète fit la sourde oreille. Mais il dit au serviteur de Cartier que, «si le Capitaine consentait à prendre avec lui un seigneur du pays, nommé Agonna, qui lui avait fait déplaisir, et l'emmener en France, il ferait tout ce que voudrait ledit capitaine.»

Taignoagny se garda bien d'expliquer le motif de sa haine contre Agonna. Il lui en voulait parce que ce chef était un des favoris de Donnacona, et qu'il devait, suivant toutes probabilités, lui succéder dans la direction des affaires de Stadacone. Taignoagny était trop lâche pour se débarrasser ouvertement d'Agonna. Mais il eût été ravi que Cartier lui rendît de façon ou d'autre ce service. On verra bientôt que les détestables machinations de l'interprète tournèrent contre leur auteur.

Guyot essaya de pénétrer dans d'autres maisons. Taignoagny s'y opposa. Évidemment il se tramait quelque perfidie.

Jacques Cartier connaissait-il la Relation des faits et gestes de Fernand Cortez? On peut le supposer. Toujours est-il que le capitaine français adopta, pour se mettre en garde contre les indigènes de la Nouvelle-France, le moyen qu'avait employé le capitaine espagnol contre les naturels du Mexique. Cartier décida de s'emparer de Donnacona, Taignoagny et des principaux Canadiens. Le projet n'était pas d'exécution facile. A la force on ne pouvait songer. Il fallut ruser. Les sauvages étaient très-soupçonneux. Peut-être flairaient-ils le piège. On leur réitéra pendant plusieurs jours les invitations à faire chaudière, c'est-à-dire à banqueter. On les combla de cadeaux. Le fond de la Petite-Hermine leur fut même donné pour qu'ils en utilisassent les clous. Rien n'y faisait. Ils s'obstinaient à fuir le fort. Enfin l'habileté de Cartier l'emporta.

Taignoagny lui avait renouvelé de vive voix sa proposition, d'embarquer avec lui l'individu qui l'avait offensé, le capitaine répondit adroitement que le roi avait défendu d'à amener en France hommes ni femmes du Canada, mais bien deux ou trois petits enfants pour apprendre le langage.»

Rassuré par ces paroles, Taignoagny promit de venir le jour suivant avec Donnacona fêter la Sainte-Croix à bord des navires.

Cartier fit de grands préparatifs pour cette solennité, qui tombait le mai. Ses gens et lui endossèrent leurs plus riches vêtements. On pavoisa les vaisseaux, radoubés, repeints, remâtés, tout prêts à mettre à la voile.

Quoiqu'il fît froid encore, que les bords du fleuve et de la rivière fussent chargés de glaces pourries et de bancs de neige fondante, le temps était beau. Au ciel, gris-pommelé, les petits nuages blancs couraient comme des flocons de laine chassés par la brise. Déjà les bourgeons rougissaient à l'extrémité des branches; les oiseaux revenaient chanter leurs amours et la nature ouvrait son sein aux fécondes exhalaisons du printemps.

Après la messe dite, suivant l'habitude, par le capitaine-général, les équipages furent passés en revue. Puis Cartier pour prendre, avant son départ, définitivement possession du pays qu'il avait découvert, fit dresser, près du port, «une belle croix, haute d'environ trente pieds, sous le croisillon de laquelle on voyait un écusson en bosse, des armes de France, avec cette inscription en «lettres antiques»:

FRANCISCUS PRIMUS DEI GRATIA FRANCORUM REX REGNAT

Une salve de vingt coups de canon couronna la cérémonie .

Cette prise en possession peut bien passer pour légèrement arbitraire; mais, au moins, elle a le mérite d'une certaine simplicité. Les Espagnols y mettaient bien plus de cérémonie et d'ostentation. Ils se faisaient accompagner de deux notaires qui rédigeaient très-sérieusement un acte de propriété des terres découvertes. Dans ma Notice sur Sagard, j'ai déjà donné, d'après W. Irving, une de ces étonnantes formules. En voici une autre qui peut servir de pendant à la première.

Vasco Nunez, venant de découvrir l'océan Pacifique, s'avance, bannière de la Vierge en tête, entre dans la mer jusqu'aux genoux, tire son épée, jette son bouclier sur son épaule et s'écrie:

«Vivent les hauts et puissants monarques don Ferdinand et dona Juanna, souverains de Castille, de Léon et d'Aragon, au nom desquels et pour la couronne royale de Castille, je prends réelle et corporelle et actuelle possession de ces mers, et terres, et côtes, et ports et îles du Sud, et de tout ce qui y est annexé, et des royaumes et provinces qui leur appartiennent et peuvent leur appartenir, en quelque manière ou par quelque droit ou titre, ancien ou moderne, dans les temps passés, présents ou à venir, sans aucune contradiction; et si autre prince chrétien, ou infidèle, ou aucune loi, acte ou condition quelconque prétend à aucun droit sur ces terres et mers, je suis prêt et disposé à les maintenir et à les défendre au nom des souverains castillans, présents et futurs, qui ont l'empire de la domination sur ces Indes, îles et terre ferme, nord et sud, avec toutes leurs mers, au pôle arctique comme au pôle antarctique, sur chaque côté de la ligne équinoxiale, soit au dedans, soit au dehors des tropiques du Cancer et du Capricorne, maintenant et dans tous les temps, aussi longtemps que durera le monde et jusqu'au jour final du jugement de tout le genre humain.»

Les Canadians s'étaient assemblés, en grand nombre pour y assister. Mais ils se tenaient craintivement sur le bord de la rivière. Cartier pria Donnacona d'entrer dans le fort pour y boire et manger avec lui. Taignoagny en dissuada l'agouhanna. Il était deux heures environ. Cartier sortit du parc, vint trouver Donnacona et le pressa d'accepter son offre. Le chef sauvage hésitait. La scène menaçait de traîner en longueur. Jacques Cartier comprit que, s'il laissait échapper cette occasion de mettre la main sur Donnacona, elle ne se représenterait plus. Il prit un parti décisif. Ses gens étaient bien armés, la revue ayant été le prétexte de cet armement. Il ût un signe convenu. Aussitôt les mariniers entourèrent Donnacona, Taignoagny, Domagaia, deux autres «seigneurs» et les arrêtèrent.

La foule s'enfuit épouvantée en poussant des hurlements affreux «les ungs le travers la rivière, les aultres parmy le boys, serchant chacun son avantage.»

Les prisonniers furent enfermés à bord et on accéléra l'appareillage.

Pendant toute la nuit, les sauvages rôdèrent autour du fort, en emplissant l'air de cris affreux.

Le lendemain, appréhendant que l'irritation ne les poussât à quelque résolution désespérée, Cartier ordonna à Donnacona de les rassurer sur son sort. On avait imposé un discours à l'agouhanna. En conséquence, il annonça à ses gens qu'il restait de plein gré sur les vaisseaux où il faisait bonne chère, qu'il partait pour parler au roi de France, lui conter ce qu'il avait vu au Saguenay et qu'il reviendrait à Stadacone dans dix ou douze lunes.

Cette harangue changea les dispositions des Canadians. Avec la mobilité si particulière à leur race, ils passèrent subitement de la douleur à la joie la plus bruyante.

Un de leurs canouys d'écorce se détacha de la rive, monté par les principaux de la nation, et apporta à Donnacona vingt-quatre colliers d'ésurgny. Jacques Cartier lui donna quelques colifichets que celui-ci envoya à ses femmes et à ses enfants.

Le jour suivant il se fit encore un grand concours de peuple sur le rivage de Sainte-Croix. Jacques Cartier n'était pas sans anxiété. Mais bientôt il vit apparaître quatre des femmes de l'agouhanna dans leur costume d'apparat. Elles montèrent dans un canot qui fut chargé de provisions et dirigé vers la Grande-Hermine.

Le capitaine les reçut de son mieux à bord. Donnacona leur répéta qu'il s'éloignait volontairement et serait de dans douze lunes au plus. On embarqua les vivres qu'elles avaient amenés. Les sauvagesses échangèrent avec Cartier quelques menus présents et prirent congé de leur seigneur et maître.

Le mai, au matin, les deux navires sortirent, au bruit du canon, de la rivière Sainte-Croix et ils s'élancèrent vers leur patrie où,—après avoir opéré diverses reconnaissances nouvelles dans le golfe Saint-Laurent et suivi cette fois la route entre Terreneuve et le cap Breton,—ils arrivèrent, le juillet de cette mémorable année .

En abordant à Saint-Malo, Jacques Cartier et Étienne Noël aperçurent dame Catherine et la vieille Manon, s'appuyant l'une au bras de l'autre, et entourées d'une multitude compacte qui se foulait tumultueusement sur la grève pour saluer les hardis navigateurs.

—Où est Constance? demandèrent les yeux des deux hommes, avant que leurs lèvres eussent prononcé une parole.

Baissant la tête, dame Catherine se prit à pleurer.

CHAPITRE XVIII

LES PORTES-CARTIER

Hors du département d'Ille-et-Vilaine, qui connaît Limoilou? Qui jamais a entendu prononcer ce nom d'une saveur exotique si pénétrante? Personne cependant qui n'ait admiré les bords pittoresques de la Rance, entre Saint-Malo et Dinan, ou ouï décrire leurs beautés comparables seulement aux plus romantiques paysages de la Suisse. Mais Limoilou? Qu'est-ce que cela? Nos touristes s'en soucient peu, je vous assure. Limoilou a droit toutefois à de grandes considérations. Aux simples amateurs de jolis sites, je ne crains pas de le recommander. A quelques kilomètres à l'est de Saint-Malo, limité par une lande de roches, de bruyères et d'ajoncs, il est tapi dans une de ces adorables plaines bretonnes qu'aimait tant Souvestre: où l'on trouve les campagnes à luxuriante végétation, les vallées mousseuses, festonnées de chèvrefeuilles, de ronces et de houblon sauvage; mille nids de verdure d'où sort la fumée d'une chaumière, et toutes ces oasis de fleurs et d'ombrages au milieu desquelles poind l'aiguille brodée d'un clocher de granit ou la tête penchée d'un calvaire.

Pour le voyageur donc Limoilou, tout planté d'arbres fruitiers, tout tapissé par les mains prodigues de la nature, orné de gracieuses villas, est un lieu charmant où il fait bon se reposer. Mais aux yeux des amis des nobles choses du temps passé, ce village a un bien autre mérite:—Seigneur de Limoilou fut le titre que François Ier conféra à Jacques Cartier, en récompense de ses éminents services. C'est là que, revenu dans sa patrie, le capitaine-général passait la saison d'été, dans une métairie qu'il y possédait et qu'on nomme encore les Portes-Cartier.

Elle s'élève, entourée de guérets fertiles, sur le chemin de Roteneuf, non loin de la chapelle Saint-Vincent. Un mur de pierre lui fait clôture. Sur ce mur, près d'une grande porte cochère, cintrée, un écusson, fruste aujourd'hui, montrait jadis les armes de Cartier. La maison n'offre quoi que ce soit de remarquable. C'est un bâtiment du seizième siècle, avec tourelle, en demi-relief, à comble aigu, flanquée au milieu du corps de logis principal et servant de cage d'escalier pour l'étage supérieur et les greniers. D'autres constructions, granges et «ménageries» dans la cour sont affectées à l'exploitation de la ferme. Au centre de cette cour un puits profond peut cependant attirer l'attention par la structure singulière de sa margelle carrée. Une perche mobile, jouant à l'extrémité d'un pieu solidement enfoncé dans le sol, sert à tirer l'eau. Des amas de fumier, sur lesquels s'ébattent quelques volailles; des mares croupissantes, infectes, des vaux, comme on les appelle en Bretagne; des menions de paille ou d'ajoncs occupent l'espace autour du puits. J'ai regret à le dire: mais la ruine, le dénûment envahissent cette métairie, naguère théâtre de l'abondance et de la propreté. On respire la misère, là où régnait la richesse. Et l'on se sent mal à l'aise en songeant que dans cette habitation, si délabrée maintenant, si digne d'être restaurée et conservée comme monument public, l'un des hommes les plus distingués que la France ait produits passa une partie de son existence.

Il fallait la voir, vers le milieu du seizième siècle, cette demeure d'aspect repoussant aujourd'hui. Alors elle était enceinte par de délicieuses closeries de genêts et de pommiers aux bouquets éblouissants; alors ses murailles étaient blanches comme la neige; une belle calotte de tuiles rouges coiffait ses toits que rongent actuellement les moisissures; alors de jolis vitraux de couleur, encadrés dans des losanges de plomb, décoraient ses fenêtres que le temps a démantelées et privées de leurs carreaux, la plupart remplacés par quelques fonds de vieux chapeaux ou quelques bouchons de paille; alors aussi la cour, bien tenue et soigneusement couverte de sable fin, semblait, aux rayons du soleil, semée de grains d'or.

D'un côté de la porte du rez-de-chaussée, un vigoureux cep, étendant ses rameaux noueux, chargés à l'automne de grappes purpurines; de l'autre, c'était un rosier magnifique, dont les fleurs embaumées se mariaient agréablement aux pampres de la vigne.

Derrière la maison s'étendait un parterre, cultivé par la bonne dame Catherine. Après le parterre, c'était un verger, où chaque année l'on récoltait des fruits superbes; et au-delà, à perte de vue, les champs de sarrasin, à la tige de corail, au calice de nacre, au suc aimé des abeilles. L'habitation, le jardin et les entours plaisaient à l'oeil. Tout était coquet; séduisant, une miniature de l'Eden. Le bonheur et la joie devaient être les hôtes ordinaires de ce foyer rustique. Pendant longtemps, en effet, une douce félicité y avait élu domicile. C'était grande fête pour Catherine de s'installer à leur campagne avec son mari. Mais en , et depuis trois années, la pauvre dame n'y apportait pas plus de gaieté qu'à sa maison de Saint-Malo. Une mélancolie noire s'était établie en son âme; et ni la sollicitude délicate de Jacques, ni les espiègleries d'une petite sauvagesse qu'ils élevaient, ne réussissaient à dérider le front soucieux de Catherine.

Par une splendide soirée de juillet, les deux époux causaient tristement sous une tonnelle de clématites et de jasmin, dans leur verger.

—Ah! disait Cartier avec amertume, mes ennemis triomphent. Le roi ne pense plus à moi. Cette guerre terrible que nous soutenons contre l'Espagne lui a fait négliger ses promesses. Il m'avait honoré d'un excellent accueil, quand je lui présentai Donnacona, Taignoagny, Domagaia et les autres Canadians. Leurs rapports lui avaient plu. Il était disposé à m'accorder, malgré les clabauderies des jaloux, une nouvelle Commission. J'aurais exploré le Saguenay, ces terres inconnues qu'avait visitées Donnacona et qui produisent les minéraux précieux! J'aurais ainsi ajouté à la gloire et à la richesse de la France. Mais tout a tourné contre moi......

—Mon ami, interrompit tendrement Catherine, il ne faut pas vous plaindre; tout ce que fait le bon Dieu est bien fait.

—Sans doute, ma chère femme, sans doute. Aussi n'accusé-je point la Providence. Mais saurais-je ne pas déplorer que les malheurs de ma patrie l'empêchent de profiter de ces belles découvertes que l'on pourrait, poursuivre avec tant d'avantage? Vois, si je suis favorisé par le sort. En revenant à Saint-Malo, j'apprends que le pays est envahi par l'étranger. Les Espagnols ravageaient la Provence; ils faisaient des incursions en Picardie. Le mois d'ensuite c'est le Dauphin qui meurt. Puis la guerre redouble de violence. Impossible de parler au roi d'expéditions par-delà les mers. Enfin notre protecteur l'amiral Chabot est accusé de crime de lèse-majesté!...

—Ah! soupira Catherine. Vous oubliez la plus cruelle de nos afflictions!

—Non, hélas! je ne l'oublie pas, je ne puis l'oublier, répondit Jacques Cartier, prenant la main de sa femme et la pressant dans les siennes. Encore si nous savions ce qu'elle est devenue! Pauvre Constance! Elle était vive, mais bonne au fond, généreuse! Elle aurait fait une épouse excellente. Notre Étienne et elle...

—Oh! ne me parlez plus de ces rêves, mon ami. Je souffre trop à leur songer. Dieu nous a punis du fol amour que nous avions pour cette enfant. J'étais aveugle...

—Allons, ne pleure pas, dit Cartier ému. De vrai, tu as été aveugle de ne pas soupçonner ses intrigues avec le misérable Maisonneuve. Et si, à son lit de mort, Lucas ne m'eût fait des révélations, toujours nous aurions ignoré que Constance s'était éprise de ce capitaine de brigands dont le lieutenant et la bande ont, heureusement, expié leurs crimes sur l'échafaud. Mais là n'est plus la question. Lui mort ou demeuré en la Nouvelle-France, notre fille eût bien vite perdu son souvenir. Cette amourette ne pouvait avoir de conséquences sérieuses. A l'âge de Constance, elle n'avait rien que de très-naturel. Maisonneuve était beau, grand seigneur chacun à Saint-Malo raffolait de lui. Est-il surprenant qu'une fillette romanesque se soit laissé prendre le coeur parce galant! Mais, je le répète, cela n'aurait pas eu du suites. Si j'eusse été averti plus tôt, quelques remontrances à la chère enfant l'eussent incontinent ramenée dans le droit chemin. Elle était si docile à mes avis; Ah! plus le temps passe, plus s'avive ma douleur de l'avoir perdue! J'ignore ce qui lui est arrivé... Pourtant, je me dis quelquefois que nous la retrouverons...

—Hélas! moi je n'ose plus espérer! sanglota Catherine. Quand je vais prier sur la tombe de cette pauvre Manon, défunte il y a deux ans, je voudrais voir aussi son reliquaire...

C'était un usage en Bretagne de placer les têtes des morts dans de petites niches ou reliquaires au-dessus des tombes. Ces reliquaires étaient en bois, percés de trois trous. On y lisait: Cy est le chef de X.

—Peux-tu nourrir de telles pensées?

—Ah! mon ami, c'est qu'il m'est si dur de ne savoir ce qu'elle est devenue, si son corps repose en terre sainte!

—Pourquoi ne pas supposer qu'elle vit encore?

—Vivre encore! Il y aura quatre ans à l'Assomption prochaine qu'elle a disparu! Et nous n'aurions pas eu de ses nouvelles... Non, non... Le désespoir, je ne le crains que trop, l'a égarée... La malheureuse aura attenté à ses jours!

—Oh! fit Cartier avec un geste de dénégation.

—Vous ne la connaissiez pas, mon ami, reprit vivement Catherine. Occupé de vos vastes entreprises, vous ne cherchiez pas à lire dans ses sentiments. Constance était très-exaltée. L'enlèvement de cet homme lui a porté un coup funeste. Quand elle découvrit qu'il était parti avec les autres prisonniers, elle eut une crise terrible. C'est alors que j'appris tout. Manon, interrogée, acheva, en pleurant, de me mettre dans la confidence de cette horrible passion. Je l'avais peut-être soupçonnée, mais je suis si faible! Et puis j'idolâtrais cette enfant... Ah! c'est un châtiment du ciel! il est équitable...

Dame Catherine éclata en sanglots.

—Mon Dieu, cesse de t'affliger! dit Cartier, très-agité; aie du courage! Il te reste cette petite fille que j'ai ramenée et dont tu es la marraine...

—Hélas! elle est maladive, elle périra de langueur, comme sont morts les autres sauvages, après que vous les eûtes fait baptiser le mars de l'an dernier...

—Malgré tout, reprit Cartier d'un ton ferme, moi j'ai la conviction que Constance respire!

—Le Seigneur vous entende!

—Oui, continua-t-il; et que nous la reverrons un jour.

En ce moment, un jeune homme, portant le costume de kloarek, parut à l'extrémité du jardin.

—Pauvre Étienne! murmura maître Jacques; inconsolable de la perte de sa cousine, il a renoncé à la profession de marin pour entrer dans les ordres.

Le jeune homme arrivait haletant, le visage rouge, baigné de sueur.

—Ah! mon oncle, mon oncle, s'écria-t-il, quel bonheur que je n'aie pas encore prononcé mes voeux!

—Qu'y a-t-il? Respire un peu. Ta es tout essoufflé.

—Je crois bien. On le serait à moins. Je suis venu de Saint-Malo ici toujours courant.

—Allons, assieds-toi...

—Oh! les bonnes nouvelles! Mon cher oncle, ma chère tante, les bonnes nouvelles!

—Eh bien, parle.

—Vous ne me croirez pas. Moi-même je n'y puis croire... Constance...

—Constance! répéta dame Catherine en pâlissant.

—Constance n'est pas morte!

—Pas morte? Es-tu bien sûr de ce que tu avances, Étienne? répliqua Cartier d'une voix altérée et en soutenant sa femme près de tomber en défaillance.

—Je vous dis, mon oncle, que Constance n'est pas morte. C'est le bruit de toute la ville. Vous allez l'entendre... car je suis venu vous chercher...

—Enfin, explique-toi.

—Oui, explique-toi vite, Étienne; tes lenteurs me font mourir, balbutia dame Catherine d'un ton faible.

—Vous savez, répondit-il, que la sorcière de la Grande-Conchée a été arrêtée. Sous accusation de magie noire, on l'a mise, cette après-midi, à la torture. Alors, elle a révélé bien des crimes...

—Mais Constance?

—J'y suis, mon oncle, j'y suis. La sorcière connaissait ma cousine. Il parait... mais je n'oserai jamais vous dire ça.

—Ne crains rien.

Le kloarek baissa les yeux et poursuivit en hésitant:

—Maharite prétend que ma cousine aimait le capitaine des Tondeurs; que c'est lui que nous avions à bord de la Petite-Hermine, et que...

—Achève, Étienne, achève!

—Constance se serait embarquée, sous un déguisement de page, le jour de l'Assomption, pour le joindre, sur un vaisseau allant faire la pêche à Terre-neuve!

—Jésus Sauveur! serait-ce possible? proféra Catherine.

—Mais le nom de ce navire? demanda Cartier.

—Je l'ignore, mon oncle. Il sera facile de le trouver, en consultant les registres du port pour l'année .

—C'est juste. Pourtant ce vaisseau doit être de . Comment n'aurait-on pas découvert le sexe...

—Ah! s'écria dame Catherine; mon ami, remercions Dieu, d'abord...

—Ce n'est pas tout, ma tante, ce n'est pas tout! interrompit Étienne Noël. Un bonheur n'arrive jamais seul.

—Quoi encore?

—Eh bien! le brig Saint-Aaron, rentré, hier soir, du golfe Saint-Laurent...

—Il aurait des nouvelles de Constance!

—Non, hélas! mais de votre vieux serviteur.

—Que dis-tu là?

—Je dis, mon oncle, que le pilote du Saint-Aaron rapporte avoir vu à l'île Brion un sauvage qui l'a averti que Jean Morbihan était dans la baie de Gaspé, où il attendait qu'un autre navire de pêche, l'Aleth, mit à la voile pour repasser en France.

—Voilà qui est extraordinaire! souverainement extraordinaire! j'en suis confondu, murmurait Jacques Cartier, étourdi par ces informations.

Puis il s'écria, en saisissant la main du jeune homme:

—Mais es-tu bien certain de ce que tu dis?

—Je l'ai ouï de mes oreilles, mon oncle. La sorcière vous demande. Elle désire vous répéter à vous-même les aveux qu'elle a faits à l'inquisiteur. Quant au pilote du Saint-Aaron, il sera, m'a-t-il dit, jusqu'au couvre-feu à l'auberge A Monsieur Saint Anthoine...

—Oh! mon ami, allez tout de suite à la ville! fit Catherine.

—Je ne perds pas une minute. Étienne, tu m'attendras ici et tiendras compagnie à ta tante. Dis à Charles de seller mon cheval sur-le-champ. Constance et Jean retrouvés! Oh! c'est à devenir fou de bonheur!

Et il se jeta au cou de sa femme, qu'il embrassa avec transports.

—A genoux, Jacques! dit celle-ci; à genoux! Quoique j'appréhende de me livrer encore à la joie qui déborde mon âme, rendons grâces au Seigneur tout-puissant de la protection visible qu'il étend sur nous!

Cartier se prosterna auprès de Catherine et ils élevèrent leur coeur à Dieu.

Moins d'une heure après cette scène touchante, le capitaine était à Saint-Malo. Il voulut interroger Maharite. L'on n'avait rien à refuser à l'un des favoris du roi de France. Cartier fut conduit dans la geôle de l'évêché, où était enfermée Maharite. Il questionna la misérable créature, destinée au bûcher, mais n'en put guère tirer autre chose que ce qu'il tenait déjà d'Étienne. Il apprit seulement que Constance s'était réfugiée chez la sorcière, avec une assez forte somme en or; qu'elle avait prié Maharite de lui acheter des vêtements d'homme, de la faire passer pour son fils et de l'engager comme page sur le premier navire qui appareillerait pour la terre neuve. Ce plan avait réussi au gré de Constance. Elle était montée, le août, jour de l'Assomption, sur un vaisseau du nom duquel Maharite ne se souvenait plus.

L'on sait que ce grade correspondait à celui de novice sur les navires du commerce.

Quoiqu'il fût tard déjà, Cartier courut à la salle Saint-Jean. C'était alors le Lloyd de Saint-Malo. Il consulta le livre où était enregistré le mouvement du port en . Une seule nef avait quitté la rade pour Terreneuve, le août de cette année-là. Elle s'appelait le Saint-Vincent. Cartier chercha l'époque de la rentrée de ce navire. Mais une note à la marge du livre, comme un nuage sur un rayon de soleil, assombrit la joie qui luisait en son coeur. Dans cette note il était dit que le Saint-Vincent, après avoir touché dans diverses baies de Terreneuve, s'était échoué en vue du détroit de Belle-Isle. Les sauvages de la côte avaient pillé l'épave et sans doute massacré l'équipage. Témoin de l'événement, mais n'y pouvant porter remède, à cause d'une violente tempête, leLion, bateau pêcheur de Honfleur, l'avait consigné sur son journal de bord.

Pour douloureusement désappointé qu'il fût, Cartier ne perdit pas tout espoir. Il se dit qu'il irait à Honfleur, interroger le patron du Lion, et il se transporta à l'hôtellerie A Monsieur Saint Anthoine.

Le pilote du Saint-Aaron y faisait une partie de dés, en buvant un pichet de cidre. Il confirma la nouvelle donnée par Étienne, ajouta que l'Aleth ne tarderait pas, suivant toutes probabilités, à jeter l'ancre dans le port de Saint-Malo; mais il ne savait quoi que ce fût sur le compte de Jean Morbihan. Il n'aurait même pu affirmer que c'était de lui qu'avait parlé le sauvage. Seulement il avait cru le reconnaître, parce que ce sauvage le nommait Terriben, sobriquet que les mariniers de Saint-Malo avaient donné au vieux timonier, d'après son juron de prédilection.

Cartier rentra soucieux à la maison de campagne. Il cacha à sa femme une partie de la vérité, et il lui dit que Constance s'était en effet embarquée sur le Saint-Vincent et qu'elle avait dû prendre terre dans une île habitée du golfe Saint-Laurent: il termina par ces mots:

—Je vais ner à Paris, faire de nouvelles instances auprès du roi. Dès qu'il m'aura octroyé une autorisation, je me rendrai dans le golfe, où je chercherai la trace de la pauvre enfant. Si on me refuse cette autorisation, je partirai sur le premier navire venu.

—Puissiez-vous retrouver notre Constance! s'écria Catherine en répandant un torrent de larmes.

—Me permettrez-vous, mon oncle, de reprendre l'accoutrement de marinier? s'enquit Étienne Noël, avec vivacité.

—Volontiers, beau neveu; mais que diront tes supérieurs ecclésiastiques?

—Oh! ils savent bien que le désespoir seul...

—Soit, interrompit Cartier. Obtiens leur consentement et tu peux être assuré que le mien ne te fera pas défaut. Presse-toi... après-demain tu m'accompagneras à Rouen, où j'ai quelques affaires.

—Merci, ô mon excellent oncle! répondit le jeune homme enchanté, car il avait deviné la nature de ces affaires, dont le capitaine ne voulait pas causer devant sa femme.

Cartier effectua heureusement ce voyage. Mais ce fut sans résultat. Il ne recueillit aucun renseignement sur le sort de Constance. De Rouen, notre capitaine alla à Compiègne, où le roi se reposait de la guerre, en faisant exécuter de belles et utiles ordonnances, promulguées en , «touchant l'abréviation, des procès, pour le soulagement de ses sujets foulés par la chicane des procureurs et ministres de justice.»

A cette époque, s'instruisait le procès de Philippe de Chabot.

Jacques Cartier eut néanmoins un facile accès auprès de François Ier, et il obtint du monarque la promesse que bientôt une nouvelle Commission lui serait délivrée.

Le capitaine revint très-satisfait à Limoilou. Une joie nouvelle l'y attendait. Comme il mettait le pied sur le seuil de sa maison, après une longue absence, un homme se jeta à son cou, en criant:

—Terr i ben! faut que je vous embrasse, maître Jacques; min Gieu, oui!

Et le brave timonier, joignant l'action aux paroles, fit retentir deux gros baisers sur les joues de Cartier, qui lui rendit avec effusion ses bruyantes caresses.

CHAPITRE XIX

CONCLUSION

—Tu dis donc qu'il avait, sous le sein gauche, une peinture noire et rouge représentant quatre poissons regardant les quatre points cardinaux, avec un coeur...

—Min Gieu, oui, maître Jacques! Je l'ai si bien vue cette marque que j'en ai perdu la tramontane. Sans cela...

—Mais alors cet homme serait...

—Ce serait et c'est le frère de Constance!

—Pourtant...

—Terr i bon!... Excusez, maître Jacques. Je jure devant vous...

—Va toujours.

—Eh bien, c'est mon avis. Là! sur ma conscience, ce prétendu Philippe, c'était d'abord Georges de Maisonneuve, le capitaine des Tondeux; c'était aussi cet Olivier Dubreuil que nous avons tant et tant cherché, depuis , ensuite...

—Le fils de l'homme qui fut assassiné par les sauvages de Terreneuve... Je n'y puis croire...

—Puisque je vous affirme qu'il a encore le même signe que Constance au bas de l'oreille... min Gieu, oui!

—La soeur aurait été énamourée de son frère!... juste ciel!... Quel horrible mystère!

—Elle n'a point péché, croyez-le, maître, reprit gravement Jean Morbihan. Le Seigneur n'aurait pas permis un crime aussi odieux!

—J'aime à le penser. Mais répète-moi ce que tu m'as dit.

—Min Gieu! c'est bien simple. J'avais découvert ce qui se passait entre la pauvre Constance et ce... Que le bon Gieu lui pardonne, maître Jacques!... C'est pourquoi je vous priai de l'embarquer avec nous. Je comptais qu'une fois là-bas, l'enfant l'oublierait... Il n'en a pas été ainsi... Ah! j'ai été un imbécile... J'aurais dû vous déclarer tout... Le malheur ne nous serait pas arrivé...

—Tu as fait pour le mieux; je ne puis t'en vouloir.

—Enfin, quand nous fûmes au havre de Sainte-Croix, j'appris que ce Philippe conspirait... Le polisson de Lucas...

—Il est mort; pardonne-lui aussi!

—Min Gieu... oui! je lui pardonne. Mais...

—Laissons ce sujet. Prévenu que Philippe conspirait contre nous avec les sauvages, tu l'as suivi et tu as découvert la conjuration.

—Oui, maître Jacques. Les sauvages ont pris la fuite, en m'apercevant. Philippe s'est jeté sur moi. Nous nous sommes battus sur le bord de la chute. Sa jaquette a été déchirée, et dessous j'ai vu cette marque que Constance...

—Es-tu bien sûr que cette marque soit semblable à l'autre?

—Quatre poissons et un coeur. Pouvais-je m'y méprendre, moi qui ai été la première nourrice de la petite? Puis, ce signe à l'oreille gauche! Avec cela, quoiqu'il soit roussâtre et elle noire, il y a, voyez-vous, entre eux un air de famille qui m'avait toujours frappé. Ah! si la surprise ne m'eût paralysé, je serais venu à bout de lui et j'aurais vu...

—Heureusement que tu n'es pas tombé dans l'abîme!

—Min Gieu! j'en dois reconnaissance éternelle à mon vénéré patron, car en dévalant, je suis arrivé tout au bord de la fosse. J'étais toutefois moulu, sans force. Un buisson m'a retenu. Là j'aurais péri comme un chien, ayant une cuisse cassée et un bras démis. Mais des sauvages, qui chassaient aux environs, m'ont aperçu le lendemain matin...

—Quel malheur que c'étaient des ennemis de nos Canadians!

—Ils m'ont emmené à la rivière de Saguenay, pansé, guéri, et gardé comme prisonnier. J'avais grand'peur d'être brûlé; car c'est leur coutume à ces gens de faire rôtir les captifs. Mais, enfin, une de leurs femmes ayant eu pitié de moi, ils m'ont donné à elle. Une chance que je n'étais pas marié, maître, car je n'aurais pu accepter d'avoir deux épouses... Drôle, tout de même, qu'elle ait voulu de moi, celle-là! je ne suis ni beau, ni jeune! min Gieu, non! De fait, elle n'était pas, non plus, de première beauté ou jeunesse. Ce n'était cependant point une méchante créature. Si elle n'avait trépassé l'année dernière, je ne l'aurais peut-être jamais quittée. Terri-ben! elle m'avait sauvé la vie! et le vieux Morbihan n'est pas un ingrat. D'ailleurs, j'espérais que, tôt ou tard, vous reviendriez...

—Oh! c'était et c'est encore mon projet de visiter le pays de Saguenay, quoique tu penses qu'il n'y ait point de mines d'or.

—Ma Nou-ma-la décédée (j'appelais ainsi, ma défunte), je songeai à démarrer, reprit Jean Morbihan. Une certaine nuit, je chargeai de provisions mon casnouy d'écorce de bouleau et filai vers la baie de Gaspé, ou je comptais bien trouver quelque navire pécheur pour ner tôt ou tard en Bretagne. Et, le bon Dieu aidant, me voici sain et sauf, maître Jacques! Mais quand je songe que moi, Jean Morbihan, qui avais jure de vivre célibataire, je me suis marié à la septantième année de mon âge, et avec une sauvagesse..... Terri ben! faut plus douter de rien!

—Revenons à nos jeunes gens, reprit rêveusement Cartier. Il parait, d'après toutes ces présomptions, que ce Philippe on Georges n'est autre qu'Olivier Dubreuil, fils du Français que nous n'avons pu arracher à la fureur des sauvages de Terreneuve. Plus j'y réfléchis, en effet, plus je trouve que tu dois avoir raison. Quand, pour me conformer à la promesse faite à son père mourant, je fis des recherches à Dieppe, on me dit que ses grands-parents étaient décédés et que le jeune Olivier avait été emmené en Écosse par un ami de la famille.

Seulement, personne ne put me dire le nom de cet ami. Mais je me souviens que ce Georges de Maisonneuve, que nous avons vu faire tant d'éclat à Saint-Malo, prétendait être Écossais d'origine. Il semblait avoir vingt-cinq ou vingt-six ans, n'est-ce pas?

—Min Gieu, oui, maître.

—C'est cela. Son père quitta Dieppe vers , et Olivier n'était âgé que de quelques mois...... Mais, qu'est-il devenu? On ne l'a point revu depuis le jour où il faillit t'assassiner, mon vieux Jean...

—Oh! je l'absous de tout mon coeur!

—Et sa soeur! Où est-elle à cette heure? Étrange destinée qui les a ramenés tous deux sur cette terre lointaine de leurs aïeux maternels! Que profondes et inexplicables sont les voies de la Providence divine! Pourvu, ô mon Dieu..... Mais non, vous ne souffririez pas!...

—Ainsi, maître Jacques, vous n'avez plus entendu parler de lui? interrompit Jean Morbihan.

—Non. Aurait-il roulé avec toi dans le gouffre?

—Ça n'est pas probable. Mais pourtant..... j'étais si étourdi par ce que je venais de voir..... Je ne me rappelle rien!

—Prenons une détermination. Tu as sagement agi en ne révélant pas tes soupçons à ma femme. Il faut lui cacher avec soin ce que nous conjecturons de l'étroite parenté entre Constance et...

—Soyez tranquille, maître; j'ai appris à connaître les dames, pendant mes trois années de mariage, min Gieu, oui!

—Je n'ai pas besoin de te recommander le silence

vis à vis des étrangers. On m'a promis une Commission nouvelle; par ma Catherine! je vais en presser la délivrance. Nous remettrons à la mer aussitôt le printemps venu, et il faudra bien que nous retrouvions cette enfant, car une voix intérieure m'assure qu'elle n'a pas péri dans le naufrage du Saint-Vincent.

—Min Gieu, oui, nous la retrouverons! appuya Morbihan d'un air et d'un accent convaincus.

Cette conversation avait eu lieu peu de temps après que Jacques Cartier était revenu de Compiègne. Fort de la parole du roi, il se flattait de pouvoir reprendre l'oeuvre de ses explorations au commencement de l'année suivante. Mais de lourdes déceptions le retardèrent. Toujours en lutte avec Charles-Quint, François Ier ne pouvait guère sacrifier ses hommes et son trésor à une entreprise hasardeuse.

«La voix de Cartier fut, dit M. Garneau, perdue dans le fracas des armes et l'Amérique oubliée.

«Il fallut attendre un moment plus favorable... Ce ne fut que vers que François Ier put s'occuper sérieusement des découvertes du pilote malouin. Tout en France a des ennemis acharnés, même les choses les plus utiles. Le succès de la dernière expédition avait réveillé le parti opposé aux colonies qui fit sonner bien haut la rigueur du climat des contrées visitées par Cartier, son insalubrité qui avait fait périr d'une maladie cruelle une partie des Français. Enfin, l'absence des mines d'or et d'argent. Ces observations laissèrent d'abord une impression défavorable sur quelques esprits. Mais les amis de la colonisation finirent par détruire l'effet de ces propos, en faisant valoir surtout les avantages que l'on pourrait retirer du commerce des pelleteries avec les indigènes. D'ailleurs, disait-on, l'intérêt de la France ne permet point que les autres nations partagent seules la vaste dépouille du Nouveau-Monde.

«Le parti du progrès l'emporta. Dans ce parti se distinguait par-dessus tous les autres François de la Roque, seigneur de Roberval, que François appelait le petit Roi de Vimeu.»

Une année s'était, toutefois, écoulée entre la dernière entrevue de Cartier avec son souverain, année de fiévreuse anxiété pour le pilote et sa famille. Mais Philippe de Chabot rentrant en grâce, maître Jacques reçut enfin ses Lettres Patentes, datées de Saint-Priest, le octobre sous le scel du roi, et du octobre de la même année sous le scel du Dauphin, duc de Bretagne. Ces Lettres nommaient Jacques Cartier capitaine-général et maître pilote de cinq vaisseaux destinés à aller au Canada, pour y tenter des découvertes nouvelles et y jeter les fondements d'une colonie. Peu après, Sa Majesté élevait le seigneur de Roberval au rang de son lieutenant et gouverneur dans les pays de Canada, Saguenay et Hochelaga, etc.

L'arrêt de sa réhabilitation est daté du mars .—Mais depuis plusieurs mois l'amiral avait déjà repris faveur auprès du roi.

Cartier avait pouvoir de démolir l'Émerillon, «jà viel et caduc, pour appliquer à l'adoub des navires qui en auraient besoing.» Il était autorisé de plus à prendre dans les prisons de France et Bretagne les «accusez ou prévenus d'aucuns crimes quels qu'ils estaient, fors des crimes d'hérésie et de lèse-majesté divine et humaine... et de faulx monnayeurs... jusqu'au nombre de cinquante personnes.»

Enfin, il lui était expressément recommandé de convertir les sauvages à la foi catholique, pour «faire chose agréable à Dieu, notre créateur et rédempteur.»

Cette Commission avait un caractère très-absolu. Elle n'en rendit que plus vive la jalousie des ennemis de maître Jacques; ils redoublèrent d'activité et de malices contre lui, cherchant à débaucher les équipages qu'il engageait et à les détourner de leur noble but. Ce fut à ce point que Cartier sollicita et obtint, le décembre, un Mandement du roi contre ceux qui pernicieusement divertissaient ses mariniers.

Roberval reçut sa Commission le janvier suivant; il vint au printemps à Saint-Malo pour surveiller les préparatifs de l'embarquement. Mais diverses causes le rappelèrent en Picardie. Après avoir mis à une cuisante épreuve la patience de Cartier, il finit par lui annoncer que, ne pouvant quitter la France à cette époque, il le rejoindrait plus tard à Terreneuve.

Outre le désir qui le peignait, Jacques Cartier avait instruction expresse du roi d'accélérer le départ. Aussi, ayant arboré son pavillon sur la Grande-Hermine il quitta le port de Saint-Malo le mai , avec une flottille de cinq navires, «bien pourvus de victuailles pour deux ans.»

La traversée jusqu'à Terreneuve fut longue. On manqua d'eau. Il fallut abreuver avec du cidre les bestiaux qu'on menait à la Nouvelle-France pour un propager l'espèce. Tout le monde souffrit beaucoup de la soif. Une fois arrivé à l'île, Cartier, Étienne Noël et Jean Morbihan firent les plus minutieuses perquisitions pour retrouver Constance. Ils pouvaient s'y livrer à loisir, en attendant le seigneur de Roberval.

Bravement montés dans une barque, Étienne Noël et Jean Morbihan entreprirent le tour de l'île. Dans la baie des Châteaux, ils rencontrèrent des Peaux-Rouges, qui leur donnèrent d'excellentes informations. Constance n'était pas morte. Elle avait échappé au naufrage du Saint-Vincent. Une tribu de Boethics, habitant les bords d'un lac intérieur, l'avait adoptée et elle vivait avec eux. Nos aventuriers ne craignirent pas de se rendre au village du lac. Le bouillant Étienne croyait déjà recouvrer la jeune fille. On la lui avait si bien dépeinte. Ce ne pouvait être que Constance. Mais son attente fut trompée. Constance, en supposant que ce fût elle, n'était pas dans la bourgade. La jeune fille blanche recueillie quelques hivers auparavant par les Boethics était allée avec eux faire la guerre aux Esquimaux du Labrador. Elle ne reviendrait pas avant la saison des neiges. Heureusement pour nos Européens que la plupart des guerriers peaux-rouges étaient absents, sans quoi ils auraient pu payer cher leur vaillante témérité.

Voir la Fille des Indiens Rouges.

Ils revinrent au mouillage général faire part à Cartier de ces renseignements. Si bons qu'ils fussent, si impatient que se montrât le pauvre Étienne de revoir son aimée Constance, on ne pouvait demeurer plus longtemps à Terreneuve. Roberval ne paraissant pas, le capitaine-général jugea à propos de poursuivre sa route.

—Sache attendre, dit-il à son neveu. Je t'engage ma parole de te ramener ou de te renvoyer bientôt ici et de ne pas quitter l'île avant d'avoir trouvé ma pauvre enfant; mais le devoir commande, obéissons.

Le août, l'escadrille reconnut le port de Sainte-Croix. Les Canadians accoururent avec de grandes démonstrations de joie sur le rivage pour recevoir Cartier. Ils étaient alors gouvernés par cet Agona, dont Taignoagny avait voulu se défaire. Agona fut prodigue de présents et de caresses pour le capitaine. Mais quand les sauvages apprirent que Donnacona était mort, ils changèrent d'humeur, quoique, par manière de consolation, on eût essayé de les leurrer en disant que ses compagnons désiraient rester on France, où ils vivaient comme de grands seigneurs.

Le port de Sainte-Croix n'était pas assez vaste pour loger les cinq navires. Cartier les conduisit à l'embouchure d'une petite rivière, à trois ou quatre lieues plus haut, dans le Saint-Laurent. Il est probable que c'est la rivière qui coule en serpentant sous le cap Rouge. Cartier, après avoir affourché ses vaisseaux, fit construire un fort sur le promontoire. Ce fort fut appelé Charlesbourg-Royal. On y débarqua les futurs colons, des approvisionnements et l'on se mit tout de suite à défricher les environs.

Dès que sa position fut placée à l'abri d'une surprise, Jacques Cartier dépêcha en France deux navires avec Marc Jalobert, son beau-frère, et Étienne Noël, son neveu, afin d'informer le roi de son arrivée au Canada, et, fidèle à sa promesse, il permit à Étienne de relâcher à Terreneuve pour voir si Constance était revenue.

Ces navires levèrent l'ancre, le septembre.

Ils parvinrent sans accident à leur destination. Mais, emporté par une tempête, Étienne ne put atterrir à l'île.

Le , Cartier appela au commandement de la colonie le vicomte de Beaupré, un des gentilshommes qui l'avaient accompagné, et il partit pour explorer les rapides au-dessus de Hochelaga, dans la croyance erronée que par-là il se rendrait plus rapidement au pays de Saguenay. Après plusieurs jours de voyage, et après avoir trouvé les sauvages empressés à le servir, il franchit le courant Sainte-Marie, mais fut incapable d'aller plus loin, empêché qu'il était par cette série d'écueils qu'on nomme aujourd'hui le Sault-Saint-Louis.

Cartier redescendit le courant et rentra au fort où il avait résolu d'hiverner.

On lui dit que les Canadians s'étaient assemblés en grand nombre à Stadacone et qu'ils paraissaient très-mal disposés pour les blancs. Ils ne venaient plus à ce cantonnement faire des échanges. Ils se montraient souvent par troupes armées et belliqueuses, sur les hauteurs couronnant le fort. Ils allaient même jusqu'à menacer les colons qu'ils rencontraient isolés.

Ces avis ne laissaient pas d'être inquiétants. Cartier se convainquit bientôt qu'ils étaient fondés.

Un matin, l'agouhanna d'Hochelay, qui n'avait pas cessé de témoigner de l'amitié aux Français, quoiqu'il les trahît déjà en secret, avertit le capitaine que les Canadians avaient fait prisonnier, chez leurs ennemis les Trudamans, un homme blanc et qu'ils se proposaient de le brûler. Qui pouvait être cet homme blanc? L'agouhanna n'en savait pas davantage. Cartier décida de le sauver; mais il n'y avait pas un instant à perdre. Le Visage-Pâle devait monter sur le bûcher ce jour-là. Peut-être son supplice avait-il déjà commence. Maître Jacques choisit sur-le-champ vingt mariniers des plus robustes. Il les arma d'arquebuses, de sabres, de poignards et courut à Stadacone.

Un spectacle hideux les attendait.

De loin ils virent briller une flamme à travers la forêt qui bordait le village.

—Ah! s'écria le capitaine avec douleur, nous arriverons trop tard! Lâchez vos arquebuses, faites du tapage pour chasser cette horde de démons que voici là-bas!

Les ordres de Cartier furent exécutés immédiatement, et, tout en précipitant leurs pas, les mariniers firent une décharge qui jeta l'épouvante parmi les Canadians.

Au nombre de plusieurs milliers, ces sauvages entouraient un bûcher sur lequel un homme tout sanglant était attaché à un poteau. Quoique criblé de blessures, environné de flammes, le malheureux dévisageait fièrement ses bourreaux. Il semblait défier leur férocité.

—Terr i bon! mais c'est Philippe! s'écria Jean Morbihan en l'apercevant.

Et, se jetant sur le bûcher,—des pieds, des mains, sans crainte de se brûler—il en écarta violemment les tisons embrasés.

Les sauvages avaient pris la fuite.

On détacha le supplicié. On le coucha sur un brancard fabriqué à la hâte. Il fit signe qu'il voulait parler à Jacques Cartier.

Celui-ci examinait attentivement une sorte d'écusson tatoué sous le sein gauche de Philippe et figurant comme «quatre poissons de sable, cantonnés et regardant les quatre angles de l'aire, au monceau de gravier en coeur.»

—Pardonnez-moi, monsieur, le mal que j'ai voulu vous faire, car je vais mourir, lui dit cet homme.

—Non, vous ne mourrez pas, s'écria Cartier, ému jusqu'aux larmes. Vous avez été coupable,—mais Dieu aura pitié de vous. Vous guérirez...

—Mes blessures sont mortelles, je le sens. Je n'ai que peu de temps à vivre; recevez ma confession, monsieur:

D'un geste, maître Jacques ordonna à ses gens de se retirer. Le blessé reprit:

—Monsieur, je suis né à Dieppe, mais je n'ai connu ni mon père ni ma mère. Mon nom véritable est Olivier Dubreuil...

—Je le savais, dit Cartier.

—Comment! vous le saviez?

—Oui, j'ai assisté votre père à ses derniers moments.

—Que dites-vous, monsieur?... Mais non, ne me répondez pas... ne m'interrompez plus... car mes forces faiblissent... Élevé chez mon grand-père paternel, j'y demeurai jusqu'à l'âge de dix ans... Il mourut... Un ami de la maison m'emmena en Écosse... Mais lui aussi expira peu d'années après m'avoir recueilli... j'étais seul au monde... Je m'affiliai aune bande de soudards qui ravageait la Bretagne... Mon audace et mon habileté y furent remarquées... Notre capitaine ayant été tué dans une expédition, je fus unanimement élu à sa place... Alors, monsieur, je vins à Saint-Malo... j'achetai une maison, y perçai un souterrain qui communiquait avec le port et je pus en sécurité, pour moi et les miens, exercer mes forfaits... J'avais acquis un vieux manoir en Écosse... mon intention était de m'y retirer après avoir enlevé votre fille, monsieur...

—Constance!... votre soeur, malheureux! ne put s'empêcher de dire Cartier.

—Ma soeur! proféra le blessé dans un cri terrible.

Et sa tête, qui s'était soulevée, retomba lourdement sur le sol. Il était mort.

Son corps fut rapporté au cap Rouge, pour y être inhumé.

Jacques Cartier apprit depuis qu'Olivier Dubreuil, attaqué par les Trudamans, à l'instant où il venait d'attenter aux jours de Jean, avait été traîné par eux en captivité. Il sut plaire à ces sauvages, devint un de leurs agouhanna et les commanda jusqu'au jour où il tomba entre les mains des Canadians, qui lui firent cruellement expier ses crimes.

L'hiver fut très-rude. Le scorbut décima de nouveau les équipages de Jacques Cartier. Le brave navigateur n'avait reçu aucune nouvelle de Roberval. Les sauvages harcelaient ses pauvres colons. Ceux-ci se révoltèrent contre leur chef. Il se vit forcé de les rembarquer au commencement du printemps. En abordant dans la baie Saint-Jean à Terreneuve, il y trouva Roberval arrivé avec trois navires et deux cents passagers . Mais il y trouva aussi, et ce fut un rayon de miel pour son coeur ulcéré, Constance sur le point d'aller le rejoindre par les vaisseaux du vice-roi.

L'histoire de la jeune fille était singulière. Arrachée au naufrage du Saint-Vincent par les Boethics, elle avait dû de n'être pas égorgée par ces insulaires à la marque qu'elle portait sur la poitrine et qui était le novake ou blason de la tribu. Du reste, le souvenir de sa mère et de son père était encore présent à leur mémoire. Constance s'instruisit bien vite dans leur langage; ils lui conférèrent une part d'autorité sur eux.

_Cartier lui montra quelques grains d'or et des diamants qu'il avait trouvés aux environs de Stadacone. L'or était de bon aloi, mais les diamants étaient faux. Néanmoins, le lieu où ils furent découverts a pris depuis le nom de cap Diamant. C'est sur ce cap que s'élève la formidable citadelle de Québec, à trois cent cinquante pieds au-dessus du niveau du Saint-Laurent.

_Voir la Fille des Indiens Rouges.

Au d'une expédition contre les Esquimaux, on avait conté à Constance que des blancs étaient venus la demander. Dès que la saison le permit, elle se transporta sur le rivage de la mer, sous prétexte de chasser et épia l'apparition d'un navire européen.

La Providence avait exaucé ses voeux eu lui faisant découvrir les vaisseaux de Roberval.

Je ne peindrai ni la joie de maître Jacques, ni l'allégresse de Jean Morbihan.

Avec tous les ménagements possibles, Cartier apprit à Constance la parenté qui l'unissait à celui qu'elle avait rêvé pour époux et la triste fin de cet infortuné.

Déjà, Constance était guérie de son fol amour. Les vicissitudes de la vie avaient mûri sa raison. Mais elle pleura sincèrement le sort du frère qu'elle avait perdu.

Roberval souhaitait que Cartier nât à la Nouvelle-France . Celui-ci n'y voulut point consentir. Son oeuvre était terminée. Il avait tracé la route. A d'autres le soin de la frayer!

_Il était parti de la Rochelle le avril .

Jacques Cartier partit bientôt de Terreneuve et rentra à Saint-Malo, le mois suivant.

Le bonheur de dame Catherine, la félicité d'Étienne Noël ne sauraient se décrire. J'abandonne à l'imagination de mon lecteur cette tâche aussi douce que délicate.

Pendant une année Constance porta le deuil de son frère. Elle le quitta pour suivre le bon Étienne au pied des autels.

—Terr i ben! j'avais bien dit que tout ça finirait par une noce, da oui! marmottait gaiement Jean Morbihan en sortant de l'église.

Jacques Cartier avait été parfaitement accueilli par François Ier, mais il avait sacrifié à ses belles découvertes repos, fortune, santé. Il ne reprit plus la mer et mourut, dit M. Ch. Cunat, dans sa soixantième année.

N'est-il pas douloureux cependant de penser que, non-seulement on ignore le lieu où gît la dépouille de ce grand citoyen, mais que la date exacte de son décès soit une énigme indéchiffrée.

Et n'est-ce pas simple justice de réclamer, une fois encore, après trois siècles d'oubli, un monument public, une statue pour:

JACQUES CARTIER,

LE DÉCOUVREUR DU CANADA

FIN.